2020年版

準 中級

ハン検 2

過去問題集 級

「ハングル」能力検定試験

JN117904

まえがき

　「ハングル」能力検定試験は日本で初めての韓国・朝鮮語検定試験として、1993年の第1回実施から今日まで53回実施され、延べ出願者数は43万人を超えました。これもひとえに皆さまのご支持の賜物と深く感謝しております。

　ハングル能力検定協会は、日本で「ハングル」*1)を普及し、日本語ネイティブの「ハングル」学習到達度に公平・公正な社会的評価を与え、南北のハングル表記の統一に貢献するという3つの理念で検定試験を実施して参りました。

　2019年春季第52回検定試験は全国61ヶ所、秋季第53回検定試験は72ヶ所の会場で実施され、出願者数は合計20,231名となりました。

　本書は「2020年版ハン検*2)過去問題集」として2019年第52回、第53回検定試験の問題を各級ごとにまとめたものです。それぞれに問題(聞きとりはＣＤ)と解答、日本語訳と詳しいワンポイントアドバイスをつけました。

　「ハン検」は春季第50回検定試験より試験の実施要項が変わり、一部問題数と形式も変わりました。新実施要項に対応した本書で、試験問題の出題傾向や出題形式を把握し、これからの本試験に備えていただければ幸いです。

　これからも「ハングル」を学ぶ日本語ネイティブのための唯一の試験である「ハン検」を、入門・初級の方から地域及び全国通訳案内士などの資格取得を目指す上級の方まで、より豊かな人生へのパスポートとして、幅広くご活用ください。

　最後に、本検定試験実施のためにご協力くださったすべての方々に、心から感謝の意を表します。

2020年3月吉日

特定非営利活動法人
ハングル能力検定協会

*1) 当協会は「韓国・朝鮮語」を統括する意味で「ハングル」を用いておりますが、協会名は固有名詞のため、「」は用いず、ハングル能力検定協会とします。
*2) 「ハン検」は「ハングル」能力検定試験の略称です。

目　　次

◎準2級(中級後半)のレベルの目安と合格ライン

■レベルの目安

　60分授業を240〜300回受講した程度。日常的な場面で使われる韓国・朝鮮語に加え、より幅広い場面で使われる韓国・朝鮮語をある程度理解し、それらを用いて表現できる。

・様々な相手や状況に応じて表現を選択し、適切にコミュニケーションを図ることができる。

・内容が比較的平易なものであれば、ニュースや新聞記事を含め、長い文やまとまりを持った文章を大体理解でき、また日常生活で多く接する簡単な広告などについてもその情報を把握することができる。

・頻繁に用いられる単語や文型については基本的にマスターしており、数多くの慣用句に加えて、比較的容易なことわざや四字熟語などについても理解し、使用することができる。

■合格ライン

●100点満点(聞取40点中必須12点以上、筆記60点中必須30点以上)中、
<u>70点以上合格</u>。

◎記号について
　[　]：発音の表記であることを示す。
　〈　〉：漢字語の漢字表記(日本漢字に依る)であることを示す。
　(　)：当該部分が省略可能であるか、前後に(　)内のような単語などが続くことを示す。
　【　】：品詞情報など、何らかの補足説明が必要であると判断された箇所に用いる。
　「　」：**Point**中の日本語訳であることを示す。
　　★：大韓民国と朝鮮民主主義人民共和国との、正書法における表記の違いを示す(南★北)。

◎「、」と「；」の使い分けについて
　1つの単語の意味が多岐にわたる場合、関連の深い意味同士を「、」で区切り、それとは異なる別の意味で捉えた方が分かりやすいものは「；」で区切って示した。また、同音異義語の訳についても、「；」で区切っている。

◎／ならびに〔／〕について
　／は言い替え可能であることを示す。用言語尾の意味を考える上で、動詞や形容詞など品詞ごとに日本語訳が変わる場合は、例えば、「〜　｜する／である｜　が」のように示している。これは、「〜するが」、「〜であるが」という意味である。

準2級

聞きとり　20問/30分
筆　記　40問/60分

2019年 春季 第52回
「ハングル」能力検定試験

【試験前の注意事項】
1）監督の指示があるまで、問題冊子を開いてはいけません。
2）聞きとり試験中に筆記試験の問題部分を見ることは不正行為となるので、充分ご注意ください。
3）この問題冊子は試験終了後に持ち帰ってください。
　　マークシートを教室外に持ち出した場合、試験は無効となります。
※ CD3 などの番号はＣＤのトラックナンバーです。

【マークシート記入時の注意事項】
1）マークシートへの記入は「記入例」を参照し、ＨＢ以上の黒鉛筆またはシャープペンシルではっ
　　きりとマークしてください。ボールペンやサインペンは使用できません。
　　訂正する場合、消しゴムで丁寧に消してください。
2）氏名、受験地、受験地コード、受験番号、生まれ月日は、もれのないよう正しくマークし、記入
　　してください。
3）マークシートにメモをしてはいけません。メモをする場合は、この問題冊子にしてください。
4）マークシートを汚したり、折り曲げたりしないでください。

※試験の解答速報は、6月2日の試験終了後、協会公式ＨＰにて公開します。
※試験結果や採点について、お電話でのお問い合わせにはお答えできません。
※この問題冊子の無断複写・ネット上への転載を禁じます。

◆次回 2019年 秋季 第53回検定：11月10日（日）実施◆

「ハングル」能力検定試験

個人情報欄 ※必ずご記入ください

受験級	受験地コード	受験番号	生まれ月日

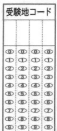
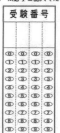

2 級 … ○
準2級 … ○
3 級 … ○
4 級 … ○
5 級 … ○

氏名
受験地

見 本

（記入心得）
1. HB以上の黒鉛筆またはシャープペンシルを使用してください。
（ボールペン・マジックは使用不可）
2. 訂正するときは、消しゴムで完全に消してください。
3. 枠からはみ出さないように、ていねいに塗りつぶしてください。

（記入例）解答が「1」の場合

良い例　●　②　③　④
悪い例　レ点　線　バッテン　点　うすい

聞きとり

1	① ② ③ ④
2	① ② ③ ④
3	① ② ③ ④
4	① ② ③ ④
5	① ② ③ ④
6	① ② ③ ④
7	① ② ③ ④

8	① ② ③ ④
9	① ② ③ ④
10	① ② ③ ④
11	① ② ③ ④
12	① ② ③ ④
13	① ② ③ ④
14	① ② ③ ④

15	① ② ③ ④
16	① ② ③ ④
17	① ② ③ ④
18	① ② ③ ④
19	① ② ③ ④
20	① ② ③ ④

筆 記

1	① ② ③ ④
2	① ② ③ ④
3	① ② ③ ④
4	① ② ③ ④
5	① ② ③ ④
6	① ② ③ ④
7	① ② ③ ④
8	① ② ③ ④
9	① ② ③ ④
10	① ② ③ ④
11	① ② ③ ④
12	① ② ③ ④
13	① ② ③ ④
14	① ② ③ ④
15	① ② ③ ④
16	① ② ③ ④
17	① ② ③ ④

18	① ② ③ ④
19	① ② ③ ④
20	① ② ③ ④
21	① ② ③ ④
22	① ② ③ ④
23	① ② ③ ④
24	① ② ③ ④
25	① ② ③ ④
26	① ② ③ ④
27	① ② ③ ④
28	① ② ③ ④
29	① ② ③ ④
30	① ② ③ ④
31	① ② ③ ④
32	① ② ③ ④
33	① ② ③ ④
34	① ② ③ ④

35	① ② ③ ④
36	① ② ③ ④
37	① ② ③ ④
38	① ② ③ ④
39	① ② ③ ④
40	① ② ③ ④

41問～50問は2級のみ解答

41	① ② ③ ④
42	① ② ③ ④
43	① ② ③ ④
44	① ② ③ ④
45	① ② ③ ④
46	① ② ③ ④
47	① ② ③ ④
48	① ② ③ ④
49	① ② ③ ④
50	① ② ③ ④

K12516T 110kg

ハングル能力検定協会

聞きとり問題

(CD 2)

1 短い文と選択肢を2回ずつ読みます。文の内容に合うもの
を①〜④の中から1つ選んでください。解答はマークシー
トの1番〜4番にマークしてください。
（空欄はメモする場合にお使いください）　　〈2点×4問〉

(CD 3)

1）＿＿＿＿＿＿＿＿＿＿＿＿＿＿＿＿＿＿＿＿＿＿＿＿　| 1 |

　　①＿＿＿＿　②＿＿＿＿　③＿＿＿＿　④＿＿＿＿

(CD 4)

2）＿＿＿＿＿＿＿＿＿＿＿＿＿＿＿＿＿＿＿＿＿＿＿＿　| 2 |

　　①＿＿＿＿　②＿＿＿＿　③＿＿＿＿　④＿＿＿＿

第52回　問題

CD 5

3）_____ ⌐3⌐

①_____　②_____

③_____　④_____

CD 6

4）_____ ⌐4⌐

①_____

②_____

③_____

④_____

CD 7

2 対話文を聞いて、その内容と一致するものを①〜④の中から１つ選んでください。問題は全部で４つです。問題文は２回読みます。解答はマークシートの５番〜８番にマークしてください。

（空欄はメモをする場合にお使いください）　〈2点×4問〉

CD 8

1 ）　　　　　　　　　　　　　　　　　　　　　5

여 : --
남 : --

① 남편은 아내의 부탁을 번거롭게 여겼다.
② 아내는 컴퓨터 전원코드를 꽂아 달라고 부탁했다.
③ 남편이 잘못 알고 전원코드를 빼 버렸다.
④ 컴퓨터 전원코드가 꽂혀 있지 않았다.

CD 9

2)

6

남 : ---

여 : ---

----

① 남자는 취업에 대해 상담할 겸 교수님을 찾아갔다.
② 남자는 시험을 보지 않아도 리포트를 잘 쓰면 학점을 받을 수 있다.
③ 남자는 면접을 보느라고 기말시험을 못 봤다.
④ 남자는 무슨 일이 있어도 기말시험을 봐야 한다.

CD10

3) | 7 |

여 : _____

_____

남 : _____

_____

① 남편은 어머니 환갑 선물이 마음에 안 든다.

② 어머니는 기념일에 돈을 받는 것을 싫어한다.

③ 아내는 어머니의 환갑을 챙기려고 하지 않는다.

④ 남편은 어머니 환갑 때 돈을 주려고 한다.

CD11

4) | 8 |

여 : _____

남 : _____

① 답안지에 수험 번호만 기입하면 시험을 볼 수 있다.

② 시험 보는 교실을 찾고 있다.

③ 수험표를 가지고 오지 않는 한 시험을 볼 수 없다.

④ 면허증이 있으면 시험을 칠 수 있다.

第52回 問題

3 短い文を2回読みます。引き続き4つの選択肢も2回ずつ読みます。応答文として適切なものを①〜④の中から1つ選んでください。解答はマークシートの9番〜12番にマークしてください。
（空欄はメモをする場合にお使いください）　〈2点×4問〉

CD13

1）여 : --

　　남 : (　　9　　)

　　①--
　　②--
　　③--
　　④--

問　題

CD14

2）여 : _____
　　남 :（　**10**　）

①_____
②_____
③_____
④_____

CD15

3）남 : _____
　　여 :（　**11**　）

①_____
②_____
③_____
④_____

CD16

4) 남 : _____

　　여 : (　　12　　)

　　　①_____

　　　②_____

　　　③_____

　　　④_____

問　題

CD17

 文章もしくは対話文を聞いて、問いに答える問題です。問
題は全部で4つです。問題文は2回読みます。解答はマー
クシートの13番〜16番にマークしてください。
（空欄はメモをする場合にお使いください）　　〈2点×4問〉

CD18

1 ）文章を聞いて、その内容と一致するものを①〜④の中から1
つ選んでください。　　　　　　　　　　　　　　　　 13

----

① 폭설로 인한 사고로 길이 막히고 있다.
② 차로 공항까지 가려면 시간이 꽤 소요될 듯싶다.
③ 눈이 많이 와서 길이 아주 미끄럽다.
④ 큰비로 공항버스 운행이 중단되었다.

第52回

問 題

CD20

2）文章を聞いて、その主題として最もふさわしいものを①～④
　　の中から1つ選んでください。　　　　　　　　　　　　　14

----

　　　① 커피숍을 인사동에 오픈하게 된 계기
　　　② 간판을 한글로 표기하게 된 배경
　　　③ 한국의 전통문화거리에 대한 리포트
　　　④ 커피숍이 폐점하게 된 근본적인 원인

問　題

CD22

3）対話文を聞いて、その内容と一致するものを①〜④の中から
　　１つ選んでください。　　　　　　　　　　　　　　　15

여 : _____

남 : _____

여 : _____

남 : _____

① 엄마는 아들이 식사 후 바로 설거지를 하기를 원하고
　 있다.
② 엄마는 아들이 공부를 안 해서 화가 났다.
③ 아들은 설거지를 하고 싶으면서 싫은 척하고 있다.
④ 아들은 TV를 끄고 숙제를 하면 용돈을 받을 수 있다.

4）対話文を聞いて、その内容と一致するものを①～④の中から
　　1つ選んでください。　　　　　　　　　　　　　　　　16

　　　　남 : --
　　　　여 : --
　　　　남 : --
　　　　여 : --

　　　　① 어르신은 자신의 다리가 튼튼하다고 했다.
　　　　② 젊은이는 자리 양보를 할 필요를 못 느꼈다.
　　　　③ 어르신은 젊은이의 옆 자리에 앉았다.
　　　　④ 어르신은 친절한 젊은이를 고맙게 생각했다.

問　題

CD26

5 文章もしくは対話文を聞いて、問いに答える問題です。問題は全部で4つです。問題文と選択肢をそれぞれ2回ずつ読みます。解答はマークシートの17番〜20番にマークしてください。

（空欄はメモをする場合にお使いください）　〈2点×4問〉

CD27

1）文章を聞いて、その内容と一致するものを①〜④の中から1つ選んでください。　　　　　　　　　　　　　　　　17

----

①---
②---
③---
④---

問題

CD30

2) 次の文章は何について話しているのか、適切なものを①〜④
の中から1つ選んでください。　　　　　　　　　　18

---

① _____
② _____
③ _____
④ _____

問　題

CD33

3）次の対話はどこで行われているのか、適切なものを①〜④の
　　中から1つ選んでください。　　　　　　　　　　　　　19

　　남：_____

　　여：_____

　　남：_____

　　　　_____

　　여：_____

　　①_____

　　②_____

　　③_____

　　④_____

第52回 問題

CD36

4）対話文を聞いて、男性がこの会社を志望した理由と一致する
　　ものを①〜④の中から１つ選んでください。　　　　　　　20

여 : _____

남 : _____

_____

여 : _____

남 : _____

① _____

② _____

③ _____

④ _____

問　題

筆記問題

1 下線部を発音どおり表記したものを①〜④の中から１つ選びなさい。

（マークシートの１番〜２番を使いなさい）　　〈2点×2問〉

1）문이 잠겨 있어서 <u>못 열어요</u>. ☐ 1

① ［모셔러요］　　　　　　② ［모여러요］
③ ［모녀러요］　　　　　　④ ［몬녀러요］

2）오늘은 특별히 <u>할 일이</u> 없어요. ☐ 2

① ［하리리］　　　　　　② ［한니리］
③ ［할리리］　　　　　　④ ［하니리］

第52回

問題

2 （　　　　）の中に入れるのに最も適切なものを①〜④の中から１つ選びなさい。

（マークシートの３番〜８番を使いなさい）　〈1点×6問〉

1) 어릴 때 학교에 가기 싫으면 （　3　） 부리곤 했다.

① 감점을　　② 꾀병을　　③ 끈기를　　④ 잡초를

2) 열심히 모은 재산을 하루 아침에 주식으로 다 （　4　）.

① 내다봤다　　　　　② 내걸었다
③ 날렸다　　　　　　④ 내려놓았다

3) 그는 보통 주말에 쉬지만 평일에도 쉴 때가 （　5　） 있다.

① 선뜻　　② 힘껏　　③ 괜히　　④ 더러

4) A : 윤호 엄마, 무슨 고민 있어요?

B : 윤호가 주말에 게임한다고 방에서 (　6　) 속이 상해요.

A : 우리 애도 마찬가지예요.

① 꼼짝도 안 해서　　　② 발 벗고 나서서
③ 배가 등에 붙어서　　④ 눈치가 빨라서

5) A : 어머니, 저 호주로 유학 갈까 합니다.

B : 뭐? 내가 (　7　) 말이 안 나온다. 반에서 최하위였던 네가 유학을 간다고?

A : 진심입니다. 허락해 주세요.

① 낯이 설어서　　　　② 세월 한번 빨라서
③ 기가 막혀서　　　　④ 입이 무거워서

6) A : 아이가 거짓말을 했다고 그렇게까지 혼낼 건 없잖아요.

B : (　8　)고 했어요.

A : 아무리 그래도 그렇지 아직 어린데 너무 심한 거 같아요.

① 웃는 낯에 침 못 뱉는다　② 고운 자식 매로 키운다
③ 십 년이면 강산도 변한다　④ 고추는 작아도 맵다

第52回 問題

3 ( )の中に入れるのに適切なものを①～④の中から1つ選びなさい。

（マークシートの9番～14番を使いなさい） 〈1点×6問〉

1) 자기가 잘못을 했으면서 (**9**) 오히려 성을 냈다.

① 사과에서부터　　　　　② 사과뿐
③ 사과조차　　　　　　　④ 사과는커녕

2) 사고가 많은 지역이므로 아무리 (**10**) 무단 횡단을 해서는 안 됩니다.

① 급하든지　　　　　　　② 급하길래
③ 급하더라도　　　　　　④ 급하다가도

3) 공짜로 (**11**) 돈 주고 사기에는 돈이 아깝다.

① 줘 봤자　　　　　　　② 주기가 바쁘게
③ 줄 뿐만 아니라　　　④ 준다면 모를까

4) 이 집은 값도 싼 데다가 맛도 (　12　) 소문나서 늘 손님이 많다.

① 좋기로   ② 좋던지   ③ 좋거든   ④ 좋고도

5) A : 아버지, 영화 보면서 한잔 어떠세요?

　　B : 나도 맥주 한잔하고 싶긴 한데 아침 일찍 일어나야 하니 빨리 (　13　)

　　A : 그럼 맥주 딱 한 잔만 하고 자죠.

① 자자꾸나.   ② 자라면야.   ③ 자더구나.   ④ 자다가도.

6) A : 제가 암에 걸릴 줄은 꿈에도 생각 못 했어요.

　　B : 제 말 듣고 보험에 들기를 잘했죠? 보험에 (　14　)

　　A : 그러게 말이에요.

① 들지 그랬어요.
② 들지 않았으면 어쩔 뻔했어요?
③ 들라는 법이 어디 있어요?
④ 들 뻔했어요.

4 次の文の意味を変えずに、下線部の言葉と置き換えが可能なものを①～④の中から１つ選びなさい。

（マークシートの15番～19番を使いなさい）　〈1点×5問〉

1) 금연 중인데 담배를 <u>살짝</u> 피우다가 아내에게 들켰다. 15

　　① 멍하니　　② 벌벌　　③ 오직　　④ 몰래

2) 무슨 일이 있으면 책임을 지겠다고 해 놓고선 이제 와서 <u>나 몰라라 한다</u>. 16

　　① 자기 덕분이라고 한다
　　② 아는 척하지 말라고 한다
　　③ 자기 책임이 아니라고 한다
　　④ 몰라도 된다고 한다

3) 나는 아직 어른이 <u>되려면 멀었다</u>. 17

　　① 될까 싶다　　　　② 덜 됐다
　　③ 된 셈이다　　　　④ 되는 수밖에 없다

4) 많이 고민하고 <u>신중히 생각해서</u> 내린 결정입니다.　　18

　　① 심사숙고해서　　　　② 반신반의하면서
　　③ 시행착오한 끝에　　　④ 과대망상으로

5) A : 창민 씨, 우리 복권에 당첨되면 해외여행 가요.
　　B : 해외여행은 가고 싶은데 복권 당첨이 <u>그리 쉽나요?</u>
　　　　　　　　　　　　　　　　　　　19

　　① 티끌 모아 태산이죠.　　② 꿩 대신 닭이죠.
　　③ 배보다 배꼽이 더 크죠.　④ 하늘의 별 따기죠.

5 すべての( )の中に入れることができるもの(用言は適当な活用形に変えてよい)を①〜④の中から1つ選びなさい。

(マークシートの20番〜22番を使いなさい) 〈2点×3問〉

1) ・승민이가 워낙 공부를 안 해서 ( )이 걱정이에요.
・수술 결과가 좋지 않아 ( )이 얼마 남지 않았대요.
・지금의 노력이 ( )에 좋은 영향을 미칠 거예요. **20**

① 목숨　　② 앞날　　③ 성적　　④ 기간

2) ・경기에 진 선수들의 눈에는 아쉬움의 눈물이 ( ).
・가슴에 ( ) 슬픔을 노래로 달랬다.
・올해도 밤나무에 많은 열매가 ( ). **21**

① 고이다　　② 열리다　　③ 쌓이다　　④ 맺히다

3) ・이 음료는 잘 (　　　) 드셔야 맛있습니다.

・강 건너편에 가기 위해서는 배를 (　　　) 가야 합니다.

・그녀는 고개를 (　　　) 부인했습니다.　　22

① 섞다　　② 흔들다　　③ 타다　　④ 젓다

6 対話文を完成させるのに最も適切なものを①～④の中から
1つ選びなさい。

(マークシートの23番～25番を使いなさい)　　〈2点×3問〉

1) A : 이삿짐은 대충 정리하셨어요?
　 B : (　**23**　)
　 A : 쉬엄쉬엄 푸세요. 안 그러면 몸살 나요.

　① 해도 해도 끝이 없네요.
　② 집들이 하는 거 어떻게 아셨어요?
　③ 오늘 당장 싸 버릴까요?
　④ 네, 이삿짐 다 풀고 한숨 돌렸어요.

2) A : 경축드립니다, 형수님! 아주 잘생긴 장군님이네요.
　 B : (　**24**　)
　 A : 그런 말 마시고 예쁜 따님도 하나 낳으셔야죠.

　① 애가 아빠를 닮아서 다행이에요.
　② 첫 출산이라 너무 힘들었어요. 둘째는 생각도 못하겠어
　　요.
　③ 제가 딸 쌍둥이를 낳을 줄은 몰랐어요.
　④ 아들이었으면 했는데 딸이어서 좀 실망했어요.

3) A : 돈도 없는데 벌금이 나와서 미치겠다.

　　B : 도대체 뭘 했길래 벌금이 나와?

　　A : (　　**25**　　)

　　B : 그러게 왜 하지 말라는 걸 하냐?

　① 잠깐 세워 놨는데 주차 위반 단속에 걸렸거든.

　② 벌금을 내지 않으면 체포된다는 걸 몰랐거든.

　③ 당장 송금하지 않으면 신고하겠다고 협박받았거든.

　④ 교통사고 피해자하고 합의해야 하거든.

第52回 問題

7 下線部の漢字と同じハングルで表記されるものを①〜④の中から1つ選びなさい。

(マークシートの26番〜28番を使いなさい) 〈1点×3問〉

1) 妊娠 26

① 陣 ② 神 ③ 親 ④ 診

2) 怪物 27

① 開 ② 改 ③ 階 ④ 壊

3) 信仰 28

① 央 ② 案 ③ 暗 ④ 港

問　題

8 文章を読んで【問1】～【問2】に答えなさい。
（マークシートの29番～30番を使いなさい）　　〈2点×2問〉

　여러분은 술을 많이 마신 다음 날 어떻게 숙취*를 해소하시나요? 시민 여러분들이 어떻게 숙취를 풀고 있는지 취재해 봤습니다. 잠을 많이 잔다, 콩나물국을 먹는다, 콜라를 마신다 등 많은 의견이 있었는데요. 20대 여성인 김지우 씨는 숙취 해소를 위해 요가를 하거나 슬픈 영화를 본다고 합니다. 다소 엉뚱하긴 하나 몸 안에 흡수된 알코올의 10%가량이 땀이나 눈물, 소변* 등으로 나온다고 하니 꽤 과학적인 것도 같습니다. 하지만 무엇보다 숙취의 원인을 만들지 않는 게 가장 중요하지 않을까요?

　*) 숙취 : 二日酔い、소변 : 尿

【問1】　本文のタイトルとして最もふさわしいものを①～④の中
　　　　から1つ選びなさい。　　　　　　　　　　　　 29

　① 시민들의 음주 습관
　② 숙취 해소를 위한 자기만의 노하우
　③ 숙취 해소와 땀과의 관계
　④ 음주가 몸에 미치는 영향

【問2】　二日酔いの対策として<u>あげられていないもの</u>を①〜④の
　　　　中から1つ選びなさい。　　　　　　　　　　30

　　　① 충분한 수면을 취하기
　　　② 뜨거운 물에 목욕하기
　　　③ 탄산음료를 마시기
　　　④ 땀이 나도록 운동하기

問 題

9 対話文を読んで【問1】～【問2】に答えなさい。
（マークシートの31番～32番を使いなさい）　　〈2点×2問〉

리포터 : 새해가 밝았는데 올해 이루고 싶은 거 있으신가요?

남　자 : 매년 살을 빼겠다고 마음만 먹고 하루 이틀 하다가 말
　　　　았는데 올해야말로 더도 말고 덜도 말고 딱 10킬로그
　　　　램만 빼자고 결심했습니다.

리포터 : 10킬로그램이나요? 겉으로 보기에는 다이어트를 하지
　　　　않으셔도 될 거 같은데 굳이 다이어트를 하셔야 되는
　　　　이유가 있으신 건가요?

남　자 : 그게 제가 무릎이 안 좋아서 의사 선생님이 체중을 줄
　　　　이라고 하셨거든요.

리포터 : 그러시군요. 그래도 너무 무리하진 마시고 꼭 성공하
　　　　시길 빌겠습니다.

남　자 : 감사합니다. 올해야말로 해내고야 말겠어요.

【問1】　本文の主題として最もふさわしいものを①～④の中から
　　　　1つ選びなさい。　　　　　　　　　　　　　　31

　① 다이어트 실패의 원인
　② 살을 빼기 위한 비결
　③ 금년에 이루고 싶은 소원
　④ 무릎 치료의 성과

【問2】 本文の内容と<u>一致しないもの</u>を①～④の中から1つ選び
なさい。　　　　　　　　　　　　　　　　　　　32

　① 남자는 매년 다이어트를 결심하고는 작심삼일로 끝났다.
　② 리포터는 남자의 결심이 성공하길 기원하고 있다.
　③ 남자는 무릎에 부담을 주면 안 되기에 체중을 줄이려고
　　 한다.
　④ 남자는 무리한 다이어트 때문에 무릎이 안 좋아졌다.

10

文章を読んで【問１】〜【問２】に答えなさい。
（マークシートの33番〜34番を使いなさい）　　〈2点×2問〉

　인터넷이 보급되기 전까지 우리들은 텔레비전이나 신문 등을 통해서 정보를 얻을 수 있었다. 하지만 현재를 살아가는 우리들은 그러한 기존의 매체 이외에도 수많은 정보를 수집할 수 있게 되었다. 인터넷은 (　33　) 언제든지 손쉽게 정보를 얻을 수 있다는 장점이 있다. 그래서 인터넷을 통해 정보를 얻고 있는 사람이 늘고 있다. 하지만 이러한 인터넷 정보에는 거짓 정보의 확산*이나 범죄를 목적으로 한 악용 케이스*가 적지 않으니 주의하지 않으면 안 된다.

　*) 확산：拡散、케이스：ケース

【問１】　(　33　)에 입에 들어가는 것이 최적한 것을 ①〜④의 中から１つ選びなさい。　　33

　① 신청이나 설정이 복잡하고
　② 이용하는 데에 있어서 한계가 있고
　③ 장소나 시간따위에 제한받지 않고
　④ 비밀번호 도난의 리스크가 있고

筆記

【問2】　本文の内容と一致するものを①～④の中から１つ選びな
　　　　　さい。　　　　　　　　　　　　　　　　　　　34

　　① 인터넷이 보급되기까지 많은 어려움이 있었다.
　　② 인터넷 상에서 얻은 정보를 무조건 신뢰해서는 안 된다.
　　③ 거짓 정보에 속지 않도록 기존의 매체를 이용해야 한다.
　　④ 앞으로는 인터넷을 통해 정보를 얻는 사람이 줄 것이다.

11 下線部の日本語訳として適切なものを①～④の中から1つ選びなさい。

(マークシートの35番～37番を使いなさい) 〈2点×3問〉

1) 그해 겨울은 <u>여간 춥지 않았다.</u> 　 35

① それほど寒くなかった。
② どちらかというと寒い方だった。
③ ちょっとやそっとの寒さではなかった。
④ 寒いとは言えないくらいだった。

2) <u>가진 게 없다고</u> 날 무시하다니 너무하네요. 　 36

① もう古くなったからって
② 飽きたからって
③ 貧乏だからって
④ 欲しいものがないからって

3）여러분이 <u>응원해 준다면야 힘겨워도</u> 해야죠. 　　　37

① 応援してくれたり力になってくれるんであれば
② 応用することで力になるとしても
③ 応援してくれると言うなら大変でも
④ 応用してくれるんであれば精一杯

12 下線部の訳として適切なものを①～④の中から１つ選びな
さい。

（マークシートの38番～40番を使いなさい）　　〈2点×3問〉

1 ）あまりにも失礼な事を言うから<u>黙っていられず</u>一言言ってや
った。　　　　　　　　　　　　　　　　　　　　　　　38

① 두말없이　　　　　　② 입에 담지 못해
③ 참다 못해　　　　　　④ 말도 안 나와서

2 ）<u>痛い目に合わない限り</u>、あの悪いくせは直らないと思う。
39

① 눈 하나 깜짝하지 않는 한
② 뜨거운 맛을 보지 않는 한
③ 눈에 넣어도 아프지 않은 한
④ 단맛 쓴맛을 다 보지 않는 한

3 ）ちょうど今<u>連絡しようとしていたところ</u>です。　　40

① 연락하려던 참이었어요.　　② 연락하려다 말았어요.
③ 연락하는 척했어요.　　　　④ 연락할 뻔했어요.

第52回 解答

聞きとり 問題と解答

　これから準2級の聞きとりテストを行います。選択肢①～④の中から解答を1つ選び、マークシートの指定された欄にマークしてください。どの問題もメモをする場合は問題冊子の空欄にしてください。マークシートにメモをしてはいけません。では始めます。

1 短い文と選択肢を2回ずつ読みます。文の内容に合うものを①～④の中から1つ選んでください。解答はマークシートの1番～4番にマークしてください。次の問題に移るまでの時間は10秒です。では始めます。

1）몸이 아플 때 병원에 가서 받는 것입니다.　　　　　　　　**1**

　→ 体が痛い時、病院に行って受けるものです。

　　① 개성　→ 個性　　　　❷ 진찰　→ 診察

　　③ 명언　→ 名言　　　　④ 자격　→ 資格

2）물건이나 기억을 소중히 하는 것을 말합니다.　　　　　　**2**

　→ 物や記憶を大事にすることを言います。

　　❶ 간직하다　→ 大切にしまっておく

　　② 빠뜨리다　→ 抜かす

　　③ 앉히다　　→ 座らせる

解 答

④ 옮기다　　→ 運ぶ

Point 適切な用言を選ぶ問題。①の간직하다が「大切にしまっておく」という意味を持つ動詞なので、これが正答になる。간직하다는소중히 간직하다のように「大切に」、「大事に」という意味の副詞소중히と一緒に使われることが多いので連語で覚えると良い。②の빠뜨리다は、「抜かす」の他に함정에 빠뜨리다「落とし穴に落とす」という意味があり、④の옮기다は、「運ぶ」の他に자리를 옮기다「席を移す、移動する」という意味がある。

3) 서로의 행동이나 생각을 잘 알고 같이한다는 뜻입니다. `3`

→ お互いの行動や考えをよく理解し、一緒にするという意味です。

① 허리를 굽히다　　→ 腰をかがめる

② 힘을 쏟다　　→ 力を注ぐ

③ 죽지 못해 살다　　→ 否応無しに生きる

❹ 호흡을 맞추다　　→ 息を合わせる

Point 適切な慣用句を選ぶ問題。正答はお互いの歩調を合わせるという意味の④。①は、「腰をかがめる」の他に「腰を低くする(謙遜な態度を取る)」という意味があり、②は、사고 방지에 힘을 쏟고 있다「事故防止に力を注いでいる」、③は、별다른 인생의 목표도 없고 하루하루 그냥 죽지 못해 산다「特に人生の目標もなく、一日一日ただ否応なしに生きている」のように使われる。

4) 아무리 능숙한 사람이라도 이따금 실수할 때가 있다는 말입니다. `4`

→ いくら上手な人でもたまに失敗する時があるということです。

❶ 원숭이도 나무에서 떨어진다

　　→ 猿も木から落ちる

② 이빨 빠진 호랑이

　　→ 勢力が衰えて落ちぶれた人

③ 하나만 알고 둘은 모른다

　　→ 一を知りて二を知らず

④ 개구리 올챙이 적 생각 못 한다

　　→ 偉くなって昔の苦労を忘れる

2 　対話文を聞いて、その内容と一致するものを①～④の中から
　1つ選んでください。問題文は2回読みます。解答はマーク
　シートの5番～8番にマークしてください。次の問題に移る
　までの時間は20秒です。では始めます。

1) 여 : 여보, 컴퓨터 전원이 안 켜지는데 이거 왜 이래요?

　　남 : 고장인가? 아이고, 코드가 빠져 있잖아요. 　　5

　　→ 女 : あなた、パソコンの電源が入らないんだけど、これどうしたの
　　　　　　かしら？

　　　男 : 故障かな？ああ、コードが抜けてるじゃないか。

① 남편은 아내의 부탁을 번거롭게 여겼다.

　　→ 夫は妻のお願いを面倒臭く思った。

解 答

② 아내는 컴퓨터 전원코드를 꽂아 달라고 부탁했다.

   → 妻はパソコンの電源コードを挿してくれと頼んだ。

③ 남편이 잘못 알고 전원코드를 빼 버렸다.

   → 夫が間違えて電源コードを抜いてしまった。

❹ 컴퓨터 전원코드가 꽂혀 있지 않았다.

   → パソコンの電源コードが挿さっていなかった。

2) 남 : 교수님, 면접시험이 있어서 기말시험을 못 칠 거 같은데 어떡하면 좋죠?

    여 : 그러면 기말시험 대신 리포트를 제출하세요. 내용이 좋으면 학점 줄게요. $\boxed{6}$

 → 男 : 先生、面接試験があって期末試験を受けられそうにないのですが、どうすればいいでしょうか。

    女 : では、期末試験の代わりにレポートを提出してください。内容が良ければ単位をあげます。

① 남자는 취업에 대해 상담할 겸 교수님을 찾아갔다.

   → 男性は就職について相談がてら先生を訪ねた。

❷ 남자는 시험을 보지 않아도 리포트를 잘 쓰면 학점을 받을 수 있다.

   → 男性は試験を受けなくてもレポートをちゃんと書けば単位がもらえる。

③ 남자는 면접을 보느라고 기말시험을 못 봤다.

   → 男性は面接を受けたため、期末試験が受けられなかった。

第52回 解答

④ 남자는 무슨 일이 있어도 기말시험을 봐야 한다.

　→ 男性は何があっても期末試験を受けなければならない。

Point ①は、就職ではなく、試験のことを相談しに訪ねているので誤答。③は、面接があって試験を受けられないのは確かだが、期末試験はまだ行われていないもの。それなのに「受けられなかった」と過去形になっているので誤答。④は、試験を受けなくてもレポートを出せば単位がもらえるので誤答。よって正答は②。

3) 여 : 얼마 안 있으면 어머니 환갑이잖아요. 선물로 뭘 마련하면 좋을지 고민이에요.

　남 : 마음에 안 들면 뭘 이런 걸 샀냐고 성질 내시는 분이니까 늘 하던 대로 용돈 드리자. 　　7

→ 女 : もうすぐお母さんの還暦じゃないですか。プレゼントとして何を用意すればいいか悩んでます。

　男 : 気に入らないと、何でこんなのを買ったのよって怒る方だから、いつも通りにお小遣いを差し上げよう。

① 남편은 어머니 환갑 선물이 마음에 안 든다.

　→ 夫は母親の還暦のプレゼントが気に入らない。

② 어머니는 기념일에 돈을 받는 것을 싫어한다.

　→ 母親は記念日にお金をもらうことをいやがる。

③ 아내는 어머니의 환갑을 챙기려고 하지 않는다.

　→ 妻は母親の還暦の準備をしようとしない。

❹ 남편은 어머니 환갑 때 돈을 주려고 한다.

　→ 夫は母親の還暦の時、お金をあげようとしている。

解 答

4) 여 : 수험표를 깜빡했는데 시험을 칠 수 있을까요?

　　남 : 면허증이라든가 본인 확인이 가능한 것이 있으면 시험

　　　　을 보실 수 있습니다. 　　　　　　　　　　 8

　→ 女：受験票をうっかり忘れたんですが、試験を受けることができますか。

　　　男：免許証など本人確認ができる物があれば、試験を受けることができます。

① 답안지에 수험 번호만 기입하면 시험을 볼 수 있다.

　→ 答案用紙に受験番号さえ記入すれば、試験が受けられる。

② 시험 보는 교실을 찾고 있다.

　→ 試験を受ける教室を探している。

③ 수험표를 가지고 오지 않는 한 시험을 볼 수 없다.

　→ 受験票を持って来ない限り試験を受けることができない。

❹ 면허증이 있으면 시험을 칠 수 있다.

　→ 免許証があれば、試験を受けることができる。

Point 男性が、受験票がなくても本人の確認ができる何かがあれば試験を受けることができると言っているので①と③は誤答。②は、教室を探しているという内容ではないので誤答。よって正答は④。

第52回　解答

3 短い文を２回読みます。引き続き４つの選択肢も２回ずつ読みます。応答文として適切なものを①〜④の中から１つ選んでください。解答はマークシートの９番〜12番にマークしてください。次の問題に移るまでの時間は10秒です。では始めます。

1）여 : 나쁜 짓이라는 걸 알면서 왜 엄마 지갑에서 돈을 훔쳤니?

남 : (　**9**　)

→ 女 : 悪いことだって知りながらなんでお母さんの財布からお金を盗んだの？
男 : (　**9**　)

① 다시 한번 잘 찾아 볼게요.

→ もう一回ちゃんと探してみます。

❷ 잘못했어요. 한번만 용서해 주세요.

→ 悪かったです。一回だけ許してください。

③ 다행히 범인이 잡혔대요.

→ 幸いなことに犯人が捕まったそうです。

④ 말씀 감사합니다. 참고할게요.

→ お話ありがとうございます。参考にします。

2）여 : 너 도대체 언제 결혼할 생각이냐?

남 : (　**10**　)

解 答

→ 女：あんた一体いつ結婚するつもりなの？
男：（　10　）

❶ 또 시작이다. 잔소리 좀 그만하세요, 어머니.

　　→ また始まった。小言はもうやめてください、お母さん。

② 건방져서 죄송해요, 어머니.

　　→ 生意気でごめんなさい、お母さん。

③ 이혼에도 절차가 있단다.

　　→ 離婚にも手続きがあるんだよ。

④ 약혼식은 필요 없대.

　　→ 婚約式は必要ないって。

3）남：여보세요? 난데, 회의가 길어져서 약속 시간에 좀 늦
　　을 거 같아.
여：（　11　）

　→ 男：もしもし？ 俺だけど、会議が長引いて約束時間に少し遅れそ
　　　うなんだ。
女：（　11　）

① 괜찮아요? 다친 데는 없는 거죠?

　　→ 大丈夫ですか。けがしたところはないんですね？

② 부디 조심해서 잘 다녀오세요.

　　→ くれぐれも気をつけて行ってらっしゃい。

❸ 그럼 예약해 놓은 레스토랑에 먼저 가 있을게요.

　　→ じゃあ、予約してるレストランに先に行ってますね。

④ 반가운 소식이네요. 하루빨리 그날이 오면 좋겠네요.
　　→ 嬉しいお知らせですね。 1日も早く、その日が来ればいいですね。

4) 남 : 뭐야 이거. 여보, 찌개 맛이 왜 이래? 아무 맛도 안 나.
　　여 : (　12　)

　→ 男 : 何だこれ。おい、チゲの味がおかしいぞ。何の味もしないよ。
　　　女 : (　12　)

① 그렇게 맛이 진해요?
　　→ そんなに味が濃いですか。

❷ 아이고, 간 보는 것을 깜빡했네요.
　　→ あら、味見するのを忘れてました。

③ 제가 정성을 들여서 구웠어요.
　　→ 私が真心こめて焼きました。

④ 인스턴트 라면은 몸에 안 좋아요.
　　→ インスタントラーメンは体によくないですよ。

解 答

4 文章もしくは対話文を聞いて、問いに答える問題です。問題
文は2回読みます。解答はマークシートの13番〜16番にマー
クしてください。次の問題に移るまでの時間は20秒です。で
は始めます。

1）文章を聞いて、その内容と一致するものを①〜④の中から1
つ選んでください。 [13]

　지금 이 시각 교통상황을 전해드리겠습니다. 비가 제법 많이
내리고 있습니다. 도로가 미끄러우니 주의하시기 바랍니다. 김
포공항 근처에서 버스와 택시가 부딪히는 사고가 있었습니다.
이 사고의 영향으로 교통이 많이 정체되고 있으므로 공항 쪽으
로 이동 중이신 분은 참고하시기 바랍니다.

[日本語訳]
　今この時刻の交通状況をお伝えします。雨がかなり降っていま
す。道路が滑りやすいのでご注意ください。金浦空港の近くでバ
スとタクシーの衝突事故がありました。この事故の影響により、
交通がひどく渋滞しているので空港の方に移動中の方はご参考に
なさってください。

　　① 폭설로 인한 사고로 길이 막히고 있다.
　　　→ 大雪による事故で道が混んでいる。

❷ 차로 공항까지 가려면 시간이 꽤 소요될 듯싶다.

　→ 車で空港まで行こうとすると時間がかなりかかりそうだ。

③ 눈이 많이 와서 길이 아주 미끄럽다.

　→ 雪がたくさん降ったので、道がとても滑りやすい。

④ 큰비로 공항버스 운행이 중단되었다.

　→ 大雨で空港バスの運行が中止になった。

Point　交通情報を伝えている場面。①は、道が混んでいる理由は、폭설「大雪」ではなく큰비「大雨」による事故が原因なので誤答。③は、道が滑りやすくなっているのは、눈「雪」ではなく、비「雨」がたくさん降っているためであるので誤答。④は、大雨が降っているのは確かだが、バスの運行が中止になったという内容は無いので誤答。よって正答は②。

２）文章を聞いて、その主題として最もふさわしいものを①〜④の中から１つ選んでください。　　　　14

　전 세계적으로 유명한 한 커피 전문점이 2001년 서울 인사동에 오픈하게 되었는데 간판 표기가 문제되었다고 한다. 인사동이 한국의 전통문화 거리이기 때문에 인사동 측이 한글 표기를 원했기 때문이다. 결국 본사는 이를 받아들여 이 가게가 세계 최초의 영어 표기가 아닌 매장이 되었다고 한다.

[日本語訳]

　世界的に有名なあるコーヒー専門店が2001年、ソウルの仁寺洞にオープンすることになったが、看板の表記が問題になったそう

解 答

だ。仁寺洞は韓国の伝統文化の街なので仁寺洞側がハングル表記を望んだからだ。結局、本社はこれを受け入れ、この店が世界で初めての英語表記ではない店になったそうだ。

① 커피숍을 인사동에 오픈하게 된 계기
　　→ カフェを仁寺洞にオープンすることになったきっかけ
❷ 간판을 한글로 표기하게 된 배경
　　→ 看板をハングルで表記することになった背景
③ 한국의 전통문화거리에 대한 리포트
　　→ 韓国の伝統文化街についてのレポート
④ 커피숍이 폐점하게 된 근본적인 원인
　　→ カフェが閉店することになった根本的な原因

Point 問題文の主題を選ぶ問題。本文は、あるカフェの看板の表記をローマ字ではなく、ハングルですることになった背景を述べている。①は、カフェを仁寺洞にオープンすることになったのは確かだが、そのきっかけについては言及していないので誤答。③は、韓国の伝統文化街についての報告ではないので誤答。④は、カフェの閉店ではなく、開店の話をしているので誤答。よって正答は②。

3）対話文を聞いて、その内容と一致するものを①〜④の中から
　　1つ選んでください。　　　　　　　　　　　　　　　15

여：희철아, 밥을 먹었으면 설거지부터 해야지.
남：이따가 할 거야, 엄마. 이 TV 프로만 보고.
여：그럼, 너 이번 달 용돈 안 주는 수가 있다.

남 : 아, 알았어요. 지금 당장 할게요.

[日本語訳]

女 : ヒチョル、ご飯を食べたら洗い物からしなくちゃいけないでしょ？

男 : 後でやるよ、お母さん。このテレビ番組だけ見て。

女 : そしたら、あんた今月のお小遣いあげないよ。

男 : 分かったよ。今すぐやりますよ。

❶ 엄마는 아들이 식사 후 바로 설거지를 하기를 원하고 있다.
→ 母は、息子が食事後、すぐ洗い物をしてほしいと思っている。

② 엄마는 아들이 공부를 안 해서 화가 났다.
→ 母は、息子が勉強をしないから腹が立った。

③ 아들은 설거지를 하고 싶으면서 싫은 척하고 있다.
→ 息子は、洗い物がしたいのにしたくないふりをしている。

④ 아들은 TV를 끄고 숙제를 하면 용돈을 받을 수 있다.
→ 息子は、テレビを消して宿題をすればお小遣いがもらえる。

4）対話文を聞いて、その内容と一致するものを①〜④の中から1つ選んでください。　　16

남 : 어르신, 이리 앉으세요.

여 : 아이고, 고맙습니다만, 금방 내릴 거예요.

解 答

남 : 서 계시면 다리 아프실 텐데 사양하지 마시고 앉으세요.

여 : 그래요. 아직도 이렇게 자리를 양보해 주는 젊은이가 있으
니 고맙네요.

[日本語訳]

男 : 奥様、こちらへお座りください。

女 : あら、ありがたいですが、すぐ降りるんですよ。

男 : 立っていらっしゃると足が痛いでしょうから、遠慮しないで
お座りください。

女 : 分かりました。まだこうやって席を譲ってくれる若い人がい
るからありがたいわね。

① 어르신은 자신의 다리가 튼튼하다고 했다.
→ 奥様は自分の足が丈夫だと言った。

② 젊은이는 자리 양보를 할 필요를 못 느꼈다.
→ 若者は席を譲る必要性を感じられなかった。

③ 어르신은 젊은이의 옆 자리에 앉았다.
→ 奥様は若者の隣の席に座った。

❹ 어르신은 친절한 젊은이를 고맙게 생각했다.
→ 奥様は親切な若者をありがたく思った。

第52回　解答

5 文章もしくは対話文を聞いて、問いに答える問題です。問題文と選択肢をそれぞれ2回ずつ読みます。解答はマークシートの17番～20番にマークしてください。次の問題に移るまでの時間は15秒です。では始めます。

1）文章を聞いて、その内容と一致するものを①～④の中から1つ選んでください。　　　　　　　　　　　　　　　　　　　17

　살을 빼고 싶으신가요? 저희에게 맡겨 주십시오. 전임강사가 한 분 한 분의 목표에 맞춰 식사 관리와 운동 프로그램을 짜서 여러분들이 원하시는 최고의 몸을 만들어 드립니다. 실패할 경우 수강료를 전부 돌려 드립니다. 그만큼 자신 있습니다. 지금 바로 연락 주세요.

[日本語訳]

　痩せたいですか。私たちにお任せください。専任講師がお一人お一人の目標に合わせて食事の管理と運動プログラムを組んで、皆さまが望まれる最高のスタイルを作って差し上げます。失敗した場合は、受講料を全てお返しいたします。そのくらい自信があります。今すぐご連絡ください。

　　① 강사 혼자서 프로그램을 운영한다.
　　　→ 講師一人でプログラムを運営している。

解　答

② 지금 바로 연락하면 수강료가 공짜다.

　→ 今すぐ連絡すると受講料がタダだ。

❸ 수강생은 자신에게 맞는 지도를 받을 수 있다.

　→ 受講生は自分に合う指導を受けることができる。

④ 남녀노소를 불문하고 사원 모집을 하고 있다.

　→ 老若男女を問わず、社員募集をしている。

Point 本文では、会員募集のため、ジムのプログラムなどを紹介している。①は、ジムの全プログラムを一人の講師が作成、実行していると取れるので、本文内容と一致しない。また、受講料返却の条件は目標が達成できなかった場合なので、②の「今すぐ…タダ」は違う。③は「お一人お一人の目標に合わせて…」とうたっている本文内容と一致するので正答。④は、社員募集ではないので誤答。

2）次の文章は何について話しているのか、適切なものを①～④の中から１つ選んでください。　　　　　　　　　　　　　18

　부동산을 구입할 때 주의해야 할 사항이 여러가지 있습니다. 무엇보다 중요한 것은 해당 건물이나 토지의 실제 소유자가 누구인지를 확인하는 것입니다. 그리고 계약을 취소하게 되면 계약금의 2배를 지불해야 하니 신중히 결정해야 합니다.

[日本語訳]

　不動産を購入する時、注意しなければならない事項が色々あります。何より大事なことは、該当する建物や土地の実際の所有者が誰かを確認することです。それから契約をキャンセルすること

になると契約金の２倍を支払わなければならないので慎重に決め
なければなりません。

① 계약서를 작성할 때 드는 수수료

→ 契約書を作成する時にかかる手数料

② 계약이 만료되었을 때 발생하는 비용

→ 契約が満了した時に発生する費用

③ 부동산 회사에서 일할 때 주의해야 할 점

→ 不動産会社で働く時に注意すべき点

❹ 땅이나 아파트를 살 때 주의해야 할 점

→ 土地やマンションを買う時に注意すべき点

Point 問題文が何について述べているかを当てる問題。③は、不動産会社
で働く時に注意すべき点ではなく、不動産を購入する時に注意すべ
き点なので誤答。また本文では契約をキャンセルした場合の違約金
について話していて、①と②については言及していないので誤答に
なる。よって正答は④。

3）次の対話はどこで行われているのか、適切なものを①〜④の
中から１つ選んでください。　　　　　　　　　　　19

남 : 한국에 오신 목적이 어떻게 되시죠?

여 : 한국에 사는 친척을 방문하러 왔어요.

남 : 그러시군요. 여기에 친척분의 주소하고 연락처를 기입하세요.

여 : 네. 한글로 적으면 되는 거죠?

解 答

[日本語訳]

男：韓国に来た目的は何ですか。

女：韓国に住んでいる親戚を訪ねて来ました。

男：そうなんですね。こちらに親戚の方の住所と連絡先を記入してください。

女：はい。ハングルで書けばいいんですよね？

① 택배 접수 창구　→ 宅配の受付窓口
② 세관　　　　　　→ 税関
❸ 입국심사대　　　→ 入国審査カウンター
④ 관광 안내소　　→ 観光案内所

4）対話文を聞いて、男性がこの会社を志望した理由と一致する
　ものを①〜④の中から1つ選んでください。　　　20

여：저희 회사에 입사하고 싶은 동기가 무엇입니까?

남：무엇보다도 제가 하고 싶은 소프트웨어 개발은 여기서밖에
　할 수 없기 때문입니다. 게다가 중소기업이지만 대기업 못
　지 않게 월급도 받을 수 있고요.

여：야근도 해야 할 텐데 견딜 수 있겠어요?

남：네. 괜찮습니다.

[日本語訳]

女：うちの会社に入社したい動機は何ですか。

61

第52回 解答

男：何よりも私がしたいソフトウェア開発はここでしかできない
からです。しかも、中小企業だけど大企業に引けを取らない
くらいの月給ももらえるからです。

女：夜勤(残業)もしなければならないんですが、耐えられますか。

男：はい。大丈夫です。

① 대기업에 들어가고 싶은 욕망

　　→ 大企業に入りたい欲望

② 보수는 적지만 장래성에 대한 기대

　　→ 報酬は少ないが将来性に対する期待

❸ 좋은 보수와 꿈의 실현

　　→ 良い報酬と夢の実現

④ 야근이 없다는 근무 조건

　　→ 夜勤がないという勤務条件

Point 男性がこの会社を志願した理由を選ぶ問題。ある会社で面接を行なっている場面。①は、大企業ではなく中小企業なので誤答。②は、大企業と変わらない給料がもらえるということで、報酬が少ないわけではないので誤答。④は、夜勤もしなければならないので誤答。よって正答は③。

解　答　　　　（＊白ヌキ数字が正答番号）

筆記 問題と解答

1 下線部を発音どおり表記したものを①～④の中から 1 つ選び
なさい。

1）문이 잠겨 있어서 못 열어요.　　　　　　　　　　 `1`
　　→ ドアが閉まっているので開けることができません。

　　① ［모셔러요］　　　　　　② ［모여러요］
　　③ ［모녀러요］　　　　　　❹ ［몬녀러요］

2）오늘은 특별히 할 일이 없어요.　　　　　　　　　 `2`
　　→ 今日は特にやることがありません。

　　① ［하리리］　　　　　　　② ［한니리］
　　❸ ［할리리］　　　　　　　④ ［하니리］

2 （　　　　）の中に入れるのに最も適切なものを①～④の中から
1 つ選びなさい。

1）어릴 때 학교에 가기 싫으면 （　`3`　） 부리곤 했다.
　　→ 幼い頃、学校に行きたくないと（　`3`　）使ったりした。

① 감점을　→　減点を　　　❷ 꾀병을　→　仮病を

③ 끈기를　→　根気を　　　④ 잡초를　→　雑草を

2) 열심히 모은 재산을 하루 아침에 주식으로 다 (　**4**　).

　→　一生懸命貯めた財産を一朝にして株で全て(　**4**　)。

① 내다봤다　→　見通した　　② 내걸었다　　→　かけた

❸ 날렸다　　→　なくした　　④ 내려놓았다　→　降ろした

Point　適切な用言を選ぶ問題。③の날리다は、「なくす」の他に연을　날리다「凧を揚げる」や이름을　날리다「名を馳せる」の意味があるので覚えておこう。①は、경제전문가는　곧　경제가　좋아질 거라　내다봤다「経済専門家はもうすぐ経済が良くなると見通した」、②は、그는　목숨을　내걸고　나라를　지켰다「彼は命をかけて国を守った」、④は、가방이　너무　무거워서　잠시　내려놓았다「カバンが重すぎてしばらく降ろした」のように使われる。

3) 그는 보통 주말에 쉬지만 평일에도 쉴 때가 (　**5**　) 있다.

　→　彼は普通、週末に休むが、平日にも休む時が(　**5**　)ある。

① 선뜻　→　快く　　　　② 힘껏　→　精一杯

③ 괜히　→　空しく　　　❹ 더러　→　たまに

Point　適切な副詞を選ぶ問題。普通は週末に休むが、平日でも休むことがあるということで(　)には「時々」という意味の副詞が入るのが自然。よって「たまに」という意味の④が正答になる。①は、어려운　부탁인데　선뜻　들어주었다「難しいお願いだが快く聞いてくれた」、②は、죽을힘을　다해　힘껏　싸웠다「死力を尽くして精一杯戦った」、③

解 答

は、가지 않아도 되는 모임에 참가해서 괜히 돈만 쓰고 왔다「行かなくてもいい集まりに参加して、空しくお金だけ使ってきた」のように使われる。

4) A : 윤호 엄마, 무슨 고민 있어요?

B : 윤호가 주말에 게임한다고 방에서 (　6　) 속이 상해요.

A : 우리 애도 마찬가지예요.

→ A : ユンホ君のお母さん、何か悩みでもあるんですか。

B : ユンホが週末、ゲームするといって部屋で(　6　)心が痛いのよ。

A : うちの子も同じですよ。

❶ 꼼짝도 안 해서　　→　身じろぎもしないから

② 발 벗고 나서서　　→　積極的に乗り出して

③ 배가 등에 붙어서　　→　お腹が背中にくっつくほど空腹で

④ 눈치가 빨라서　　→　機転が利いて

5) A : 어머니, 저 호주로 유학 갈까 합니다.

B : 뭐? 내가 (　7　) 말이 안 나온다. 반에서 최하위였던 네가 유학을 간다고?

A : 진심입니다. 허락해 주세요.

→ A : お母さん、私オーストラリアに留学しようと思っています。

B : 何ですって？　私、(　7　)ものが言えないわ。クラスで最下位だったあんたが留学するって？

A : 本気です。許可してください。

第52回 解答

① 낯이 설어서　　　　→ 見覚えがないから

② 세월 한번 빨라서　　→ 歳月が流れるのが早くて

❸ 기가 막혀서　　　　→ 呆れて

④ 입이 무거워서　　　→ 口が堅くて

6) A : 아이가 거짓말을 했다고 그렇게까지 혼낼 건 없잖아요.

B : (　8　)고 했어요.

A : 아무리 그래도 그렇지 아직 어린데 너무 심한 거 같아
　요.

→ A : 子どもが嘘をついたからといってそこまで叱りつけることはな
　　　いじゃないですか。

B : (　8　)と言います。

A : いくらそうだとしてもまだ小さいのにひどすぎると思いますよ。

① 웃는 낯에 침 못 뱉는다　　→ 怒れる拳笑顔に当たらず

❷ 고운 자식 매로 키운다　　　→ かわいい子には旅をさせよ

③ 십 년이면 강산도 변한다　　→ 10年経てば山河も変わる

④ 고추는 작아도 맵다　　　　→ 山椒は小粒でもぴりりと辛い

Point 適切なことわざを選ぶ問題。大事な子どもだからこそ、甘やかすの
ではなく、しっかり教育するという意味で、日本では「かわいい子に
は旅をさせよ」というが、韓国では고운 자식 매로 키운다「かわい
い子、鞭で育てる」という。

解　答

---

3 （　　　）の中に入れるのに適切なものを①～④の中から１つ
選びなさい。

１）자기가 잘못을 했으면서 （　**9**　）오히려 성을 냈다.
　→ 自分が間違ったのに（　**9**　）むしろ怒りをあらわにした。

① 사과에서부터　→ 謝りから
② 사과뿐　→ 謝りだけ
③ 사과조차　→ 謝りさえ
❹ 사과는커녕　→ 謝るどころか

２）사고가 많은 지역이므로 아무리 （　**10**　）무단 횡단을
해서는 안 됩니다.
　→ 事故が多い地域なのでいくら（　**10**　）信号を無視してはいけません。

① 급하든지　→ 急いでいるとか
② 급하길래　→ 急いでいるから
❸ 급하더라도　→ 急いでいても
④ 급하다가도　→ 急いでいても

３）공짜로 （　**11**　）돈 주고 사기에는 돈이 아깝다.
　→ ただで（　**11**　）お金払って買うにはお金がもったいない。

① 줘 봤자　→ くれたところで

67

② 주기가 바쁘게 　→　くれるやいなや

③ 줄 뿐만 아니라 　→　くれるだけでなく

❹ 준다면 모를까 　→　くれるならまだしも

Point　適切な慣用表現を選ぶ問題。④の‐(으)면 모를까は、「～(する)ならまだしも」、「～(する)ならともかく」という意味を表す慣用表現で、Aならまだ分かるけど、Aじゃなかったら分からない／～できないということを表したい時に使われる。類似表現として、‐(으)면 몰라/몰라도があり、준다면 모를까→준다면 몰라/몰라도のように使われる。

4) 이 집은 값도 싼 데다가 맛도 (　**12**　) 소문나서 늘 손님이 많다.

　→　この店は値段も安い上に味も(　**12**　)評判になり、いつもお客さんが多い。

❶ 좋기로 　→　いいことで　　　② 좋던지 　→　よかったのか

③ 좋거든 　→　いいなら　　　　④ 좋고도 　→　いいながらも

Point　適切な語尾を選ぶ問題。①の‐기로は、「～(する/である)ことで」という意味を表す語尾で、例えば、A‐기로 B 하다という文ならAはBの内容の理由や条件であることを表す。例)제주도는 돌과 여자와 바람이 많기로 유명하다「済州島は石と女性と風が多いことで有名だ」。

5) A : 아버지, 영화 보면서 한잔 어떠세요?

　　B : 나도 맥주 한잔하고 싶긴 한데 아침 일찍 일어나야 하니 빨리 (　**13**　)

　　A : 그럼 맥주 딱 한 잔만 하고 자죠.

解 答

→ A : お父さん、映画見ながら一杯いかがですか。
B : 俺もビール一杯飲みたいけど、朝早く起きなくちゃいけないか
ら早く（ 　13　 ）
A : じゃあ、ビール本当に一杯だけやって寝ましょう。

❶ 자자꾸나.　→ 寝ようよ。
② 자라면야.　→ 寝ろと言うなら。
③ 자더구나.　→ 寝ていたなあ。
④ 자다가도.　→ 寝ていても。

Point 適切な語尾を選ぶ問題。①の語尾－자꾸나は、ある行動を一緒にし
ようという意味を表す語尾で、語尾－자と同じ意味であるが、－자
꾸나の方がより親しみを込めた言い方になる。②は、빨리 자라면야
자야겠지만 자기 싫어요「早く寝ろと言うなら寝なくちゃいけない
けど、寝たくないです」、③は、형은 피곤했는지 8시밖에 안 됐는데
벌써 자더구나「兄は疲れたのか8時にしかなってないのにもう寝
てたよ」、④は、요즘 고민이 많아 자다가도 신경이 쓰여 일어납니
다「最近悩みが多くて、寝ていても気になって起きます」のように使
われる。

6) A : 제가 암에 걸릴 줄은 꿈에도 생각 못 했어요.
B : 제 말 듣고 보험에 들기를 잘했죠? 보험에 （ 　14　 ）
A : 그러게 말이에요.

→ A : 私がガンになるとは夢にも思わなかったです。
B : 私の言うこと聞いて保険に入ってよかったでしょ？ 保険に
（ 　14　 ）
A : 本当にそうですね。

第52回　解　答

① 들지 그랬어요.

→ 入ればよかったのに

❷ 들지 않았으면 어쩔 뻔했어요?

→ 入っていなかったら大変だったでしょ？

③ 들라는 법이 어디 있어요?

→ 入れだなんてとんでもない。

④ 들 뻔했어요.

→ 入るところでした。

---

4 次の文の意味を変えずに、下線部の言葉と置き換えが可能な
ものを①〜④の中から1つ選びなさい。

1) 금연 중인데 담배를 <u>살짝</u> 피우다가 아내에게 들켰다.　　<u>15</u>

→ 禁煙中なのにタバコを<u>こっそり</u>吸っているのが妻にバレた。

① 멍하니　→ ぼうっと　　② 벌벌　→ ぶるぶる

③ 오직　　→ ただ　　❹ 몰래　→ こっそり

2) 무슨 일이 있으면 책임을 지겠다고 해 놓고선 이제 와서
<u>나 몰라라 한다</u>.　　<u>16</u>

→ 何かあれば責任をとると言っていたのに今になって<u>知らんぷりする</u>。

① 자기 덕분이라고 한다　　　→ 自分のおかげだと言う

解　答

② 아는 척하지 말라고 한다　　→ 知ったかぶりするなと言う

❸ 자기 책임이 아니라고 한다　→ 自分の責任ではないと言う

④ 몰라도 된다고 한다　　　　→ 知らなくてもいいと言う

3) 나는 아직 어른이 <u>되려면 멀었다</u>.　　　　　17

→ 僕はまだ大人に<u>なるには程遠い</u>。

① 될까 싶다　　　→ なるかもしれない

❷ 덜 됐다　　　　→ まだなっていない

③ 된 셈이다　　　→ なったようなものだ

④ 되는 수밖에 없다　→ なるしかない

Point 下線部の慣用表現と置き換えが可能な表現を選ぶ問題。形容詞멀었다는「遠い」という意味の他に「まだまだだ」、「程遠い」、「まだ至っていない」という意味があり、選択肢①～④の中で置き換えが可能なのは「まだなっていない」という意味の②덜 됐다しかない。덜 됐다の덜は「ある基準や程度より少ない」、「まだ～ない」という意味があり、고기가 아직 덜 익었다「肉がまだ焼けてない」、책을 덜 읽었다「本をまだ読み終わってない」、잠이 덜 깼다「寝ぼけてる」、「まだ半分夢の中にいる」のように使われる。

4) 많이 고민하고 <u>신중히 생각해서</u> 내린 결정입니다.　　18

→ たくさん悩んで<u>慎重に考えて</u>出した結論です。

❶ 심사숙고해서　　→ 深く思い十分考えて〈深思熟考〉

② 반신반의하면서　→ 半信半疑で

③ 시행착오한 끝에　→ 試行錯誤した末に

第52回　解答

④ 과대망상으로　　→　誇大妄想で

5） A：창민 씨, 우리 복권에 당첨되면 해외여행 가요.

B：해외여행은 가고 싶은데 복권 당첨이 <u>그리 쉽나요?</u>

→ A：チャンミンさん、私たち宝くじに当たったら海外旅行に行きましょう。

B：海外旅行は行きたいけど、宝くじに当たるのって<u>そんな簡単じゃないでしょ？</u>　　　　　19

① 티끌 모아 태산이죠.

　→ ちりも積もれば山となるでしょう。

② 꿩 대신 닭이죠.

　→ 似たもので代用するんでしょう。【直訳：雉の代わりに鶏でしょう。】

③ 배보다 배꼽이 더 크죠.

　→ 本末転倒でしょう。

❹ 하늘의 별 따기죠.

　→ 至難の業でしょう。

Point 選択肢は皆ことわざ。②は、どうしても適当な物がないときは、似たもので間に合わせるということの例え。

解　答

5 すべての(　　)の中に入れることができるもの(用言は適
当な活用形に変えてよい)を①〜④の中から１つ選びなさい。

1)・승민이가 워낙 공부를 안 해서 (앞날)이 걱정이에요.

→ スンミンがなにせ勉強をしないから(将来)が心配です。

・수술 결과가 좋지 않아 (앞날)이 얼마 남지 않았대요.

→ 手術の結果がよくなくて(余命)がわずかだそうです。

・지금의 노력이 (앞날)에 좋은 영향을 미칠 거예요.　20

→ 今の努力が(未来)にいい影響を及ぼすと思いますよ。

① 목숨　→ 命　　　　　❷ 앞날　→ 将来；余命；未来

③ 성적　→ 成績　　　　④ 기간　→ 期間

Point 全ての(　)に入ることができることばを選ぶ問題。最初の文には②、
③が入ることができ、二番目の文には①、②、④が入ることができる。
そして、三番目の文には②と③が入ることができる。共通して入る
のは②となる。

2)・경기에 진 선수들의 눈에는 아쉬움의 눈물이 (맺혔다).

→ 試合に負けた選手たちの目には悔し涙が(にじんだ)。

・가슴에 (맺힌) 슬픔을 노래로 달랬다.

→ 心に(残った)悲しみを歌で慰めた。

・올해도 밤나무에 많은 열매가 (맺혔다).　21

→ 今年も栗の木にたくさんの実が(実った)。

① 고이다　→ たまる

第52回　解答

② 열리다　→　実る；開かれる

③ 쌓이다　→　積もる

❹ 맺히다　→　にじむ；こびりつく；実る

Point　全ての(　)に入ることができる用言を選ぶ問題。最初の文には①、④が入ることができ、二番目の文には①、③、④が入ることができる。そして、三番目の文には②と④が入ることができる。共通して入るのは④となる。

3)　・이 음료는 잘 (저어서) 드셔야 맛있습니다.

　　　→　この飲み物はよく(かき混ぜて)召し上がった方がおいしいです。

　　・강 건너편에 가기 위해서는 배를 (저어서) 가야 합니다.

　　　→　川の向こうに行くためには船を(漕いで)行かなければなりません。

　　・그녀는 고개를 (저으며) 부인했습니다.　　　　　22

　　　→　彼女は首を(振り)否認しました。

① 섞다　　　→　混ぜる

② 흔들다　→　振る

③ 타다　　　→　混ぜる；乗る；焼ける；もらう；弾く

❹ 젓다　　　→　かき混ぜる；漕ぐ；振る

Point　最初の文には①、②、③、④すべてが入ることができ、二番目の文には③と④が入ることができる。三番目の文には②と④が入ることができる。従って共通して入るのは④だけ。

解　答

6 対話文を完成させるのに最も適切なものを①〜④の中から1
　　つ選びなさい。

1 ）A : 이삿짐은 대충 정리하셨어요?

　　B :（　**23**　）

　　A : 쉬엄쉬엄 푸세요. 안 그러면 몸살 나요.

　→ A : 引越しの荷物は大体片付けましたか。
　　　B :（　**23**　）
　　　A : 休み休み片付けてください。そうしないと体が持ちませんよ。

❶ 해도 해도 끝이 없네요.

　　→ やってもやっても切りがないですね。

② 집들이 하는 거 어떻게 아셨어요?

　　→ 引越し祝いするのをどうして知っているんですか。

③ 오늘 당장 싸 버릴까요?

　　→ 今日すぐ荷造りしてしまいましょうか。

④ 네, 이삿짐 다 풀고 한숨 돌렸어요.

　　→ はい、引越しの荷ほどきを全部終えてひと息つきました。

2 ）A : 경축드립니다, 형수님! 아주 잘생긴 장군님이네요.

　　B :（　**24**　）

　　A : 그런 말 마시고 예쁜 따님도 하나 낳으셔야죠.

　→ A : おめでとうございます、お義姉さん。とてもハンサムな男の子
　　　　（将軍様）ですね。
　　　B :（　**24**　）

第52回 解答

A：そんなこと言わずにかわいい娘も一人産まないと。

① 애가 아빠를 닮아서 다행이에요.

→ 子どもがパパに似ていてよかったです。

❷ 첫 출산이라 너무 힘들었어요. 둘째는 생각도 못하겠어요.

→ 初めての出産だったのでとても大変でしたよ。二人目は考えられないです。

③ 제가 딸 쌍둥이를 낳을 줄은 몰랐어요.

→ 私が双子の娘を産むとは思わなかったです。

④ 아들이었으면 했는데 딸이어서 좀 실망했어요.

→ 息子がいいなと思っていたんですけど、娘だったのでちょっとがっかりしました。

Point 適切な応答文を選ぶ問題。兄嫁が男の子を出産して、それを祝っている場面。応答文の最後のAが、そんなこと言わずにもう一人産んでくださいと言っているのでBの（　）には二人目は無理だという内容が入ることが分かる。よって正答は②になる。④は、今回生まれたのは男の子で、①と③は、それぞれパパに似ているとか双子だとか言っているが、対話文での言及はなく、Aの発言とかみ合わないので誤答。

3）A：돈도 없는데 벌금이 나와서 미치겠다.

B：도대체 뭘 했길래 벌금이 나와?

A：(　**25**　)

B：그러게 왜 하지 말라는 걸 하냐?

→ A：お金もないのに罰金を科せられて最悪だよ(狂いそうだよ)。
　　B：一体何をしたからって罰金を科せられたの？

解 答

A：（　25　）
B：だから何でやめろって言われていることをするの？

❶ 잠깐 세워 놨는데 주차 위반 단속에 걸렸거든.
　→ 少しの間、止めておいたんだけど、駐車違反で取り締まられたんだ。

② 벌금을 내지 않으면 체포된다는 걸 몰랐거든.
　→ 罰金を払わないと逮捕されるということを知らなかったんだ。

③ 당장 송금하지 않으면 신고하겠다고 협박받았거든.
　→ 直ちに送金しないと通報すると脅迫されたんだ。

④ 교통사고 피해자하고 합의해야 하거든.
　→ 交通事故の被害者と合意しなくちゃいけないんだ。

7 下線部の漢字と同じハングルで表記されるものを①～④の中から１つ選びなさい。

１）妊娠 → 임신　　　　　　　　　　　　26

　① 陣 → 진　❷ 神 → 신　③ 親 → 친　④ 診 → 진

２）怪物 → 괴물　　　　　　　　　　　　27

　① 開 → 개　② 改 → 개　③ 階 → 계　❹ 壊 → 괴

第52回　解　答

Point 漢字の韓国・朝鮮語の音読みを選ぶ問題。日本語で「かい」と発音する漢字は、〈怪〉괴と〈壊〉괴以外に〈介〉개、〈会〉회、〈解〉해、〈快〉쾌、〈界〉계などがある。一方、韓国・朝鮮語で「괴」と発音する準2級レベルの漢字には〈怪、壊、塊〉がある。

3）信仰　→ 신앙　　　　　　　　　　　　　　　　　　28

❶ 央　→ 앙　　② 案　→ 안　　③ 暗　→ 암　　④ 港　→ 항

Point 日本語で「こう」と発音する漢字は、〈仰〉앙と〈央〉앙以外に〈黄〉황、〈興〉흥、〈後〉후、〈交〉교、〈光〉광、〈公〉공、〈効〉효、〈口〉구、〈向〉향、〈好〉호、〈抗〉항、〈幸〉행、〈康〉강、〈高〉고、〈弘〉홍、〈更〉경、〈肯〉긍、〈衡〉형などがある。一方、韓国・朝鮮語で「앙」と発音する準2級レベルの漢字には〈仰、央〉がある。

8 文章を読んで【問1】〜【問2】に答えなさい。

　여러분은 술을 많이 마신 다음 날 어떻게 숙취*를 해소하시나요? 시민 여러분들이 어떻게 숙취를 풀고 있는지 취재해 봤습니다. 잠을 많이 잔다, 콩나물국을 먹는다, 콜라를 마신다 등 많은 의견이 있었는데요. 20대 여성인 김지우 씨는 숙취 해소를 위해 요가를 하거나 슬픈 영화를 본다고 합니다. 다소 엉뚱하긴 하나 몸 안에 흡수된 알코올의 10%가량이 땀이나 눈물, 소변* 등으로 나온다고 하니 꽤 과학적인 것도 같습니다. 하지만 무엇보다 숙취의 원인을 만들지 않는 게 가장 중요하지 않을까요?

解　答

*)　숙취：二日酔い、소변：尿

[日本語訳]

　皆さんはお酒をたくさん飲んだ次の日、どのように二日酔いを解消していますか。市民の皆さんがどのように二日酔いを解消しているのか取材してみました。たくさん寝る、もやしスープを飲む、コーラを飲むなどたくさんの意見がありました。20代女性のキム・ジウさんは二日酔いの解消のためにヨガをやったり、悲しい映画を見たりするんだそうです。多少的外れのように思いますが、体の中に吸収されたアルコールの10%くらいが汗や涙、尿などから出ると言われているので、かなり科学的であるようにも思われます。しかし、何より二日酔いの原因を作らないことが最も大事ではないでしょうか。

【問1】　本文のタイトルとして最もふさわしいものを①〜④の中から1つ選びなさい。　29

　① 시민들의 음주 습관
　　→ 市民たちの飲酒習慣
　❷ 숙취 해소를 위한 자기만의 노하우
　　→ 二日酔い解消のための自分だけのノウハウ
　③ 숙취 해소와 땀과의 관계
　　→ 二日酔い解消と汗との関係

④ 음주가 몸에 미치는 영향

　　→ 飲酒が体に及ぼす影響

【問2】　二日酔いの対策として<u>あげられていないもの</u>を①～④の
　　　　　中から1つ選びなさい。　　　　　　　　　　30

① 충분한 수면을 취하기

　　→ 十分な睡眠を取ること

❷ 뜨거운 물에 목욕하기

　　→ 熱めのお湯に入浴すること

③ 탄산음료를 마시기

　　→ 炭酸飲料を飲むこと

④ 땀이 나도록 운동하기

　　→ 汗が出るように運動すること

9 対話文を読んで【問1】～【問2】に答えなさい。

리포터 : 새해가 밝았는데 올해 이루고 싶은 거 있으신가요?

남　자 : 매년 살을 빼겠다고 마음만 먹고 하루 이틀 하다가 말
　　　　　았는데 올해야말로 더도 말고 덜도 말고 딱 10킬로그
　　　　　램만 빼자고 결심했습니다.

리포터 : 10킬로그램이나요? 겉으로 보기에는 다이어트를 하지
　　　　　않으셔도 될 거 같은데 굳이 다이어트를 하셔야 되는

解 答

　　　　이유가 있으신 건가요?

남　자 : 그게 제가 무릎이 안 좋아서 의사 선생님이 체중을 줄
　　　　이라고 하셨거든요.

리포터 : 그러시군요. 그래도 너무 무리하진 마시고 꼭 성공하
　　　　시길 빌겠습니다.

남　자 : 감사합니다. 올해야말로 해내고야 말겠어요.

[日本語訳]

リポーター : 新年が明けましたが、今年成し遂げたいことありま
　　　　　　すか。

　男　性　 : 毎年体重を落とすぞと心に決めて1日か2日やって
　　　　　　やめてしまったんですけど、今年こそ多からず少な
　　　　　　からず、きっちり10kgだけ落とそうと決心しました。

リポーター : 10kgもですか。見た目ではダイエットをしなくても
　　　　　　よさそうに見えますが、あえてダイエットをしなけ
　　　　　　ればならない理由でもあるんでしょうか。

　男　性　 : それがですね、私、膝が良くなくてお医者さんに体
　　　　　　重を落としなさいと言われてるんですよ。

リポーター : そうなんですか。でも、あまり無理なさらず、必ず
　　　　　　成功することをお祈りします。

　男　性　 : ありがとうございます。今年こそやり遂げます。

【問1】　本文の主題として最もふさわしいものを①〜④の中から
　　　　１つ選びなさい。　　　　　　　　　　　　　　　31

　　① 다이어트 실패의 원인
　　　　→ ダイエット失敗の原因
　　② 살을 빼기 위한 비결
　　　　→ 体重を落とすための秘訣
　　❸ 금년에 이루고 싶은 소원
　　　　→ 今年、成し遂げたい願い
　　④ 무릎 치료의 성과
　　　　→ 膝の治療の成果

【問2】　本文の内容と一致しないものを①〜④の中から１つ選び
　　　　なさい。　　　　　　　　　　　　　　　　　　32

　　① 남자는 매년 다이어트를 결심하고는 작심삼일로 끝났다.
　　　　→ 男性は、毎年ダイエットを決心するも、三日坊主で終わった。
　　② 리포터는 남자의 결심이 성공하길 기원하고 있다.
　　　　→ リポーターは、男性の決心が成功することを願っている。
　　③ 남자는 무릎에 부담을 주면 안 되기에 체중을 줄이려고
　　　한다.
　　　　→ 男性は、膝に負担をかけてはいけないので、体重を落とそうと
　　　　　している。

解 答

❹ 남자는 무리한 다이어트 때문에 무릎이 안 좋아졌다.
  → 男性は無理なダイエットのせいで膝が悪くなった。

10 文章を読んで【問1】～【問2】に答えなさい。

　인터넷이 보급되기 전까지 우리들은 텔레비전이나 신문 등을 통해서 정보를 얻을 수 있었다. 하지만 현재를 살아가는 우리들은 그러한 기존의 매체 이외에도 수많은 정보를 수집할 수 있게 되었다. 인터넷은 (　33　) 언제든지 손쉽게 정보를 얻을 수 있다는 장점이 있다. 그래서 인터넷을 통해 정보를 얻고 있는 사람이 늘고 있다. 하지만 이러한 인터넷 정보에는 거짓 정보의 확산*이나 범죄를 목적으로 한 악용 케이스*가 적지 않으니 주의하지 않으면 안 된다.

　*) 확산 : 拡散、케이스 : ケース

[日本語訳]
　インターネットが普及する前まで、私たちはテレビや新聞などを通じて情報を得ることができた。しかし、現在を生きる私たちはそのような既存の媒体以外にも数多くの情報を収集することができるようになった。インターネットは(　33　)いつでもたやすく情報が得られるというメリットがある。そのため、インターネットを通じて情報を得ている人が増えている。しかし、このよ

第52回　解答

うなインターネットの情報には、嘘の情報の拡散や犯罪を目的と
した悪用ケースが少なくないので、注意しなければならない。

【問1】 （ 　33　 ）に入れるのに最も適切なものを①〜④の中か
　　　　 ら1つ選びなさい。

① 신청이나 설정이 복잡하고
　　→ 申し込みや設定が複雑で
② 이용하는 데에 있어서 한계가 있고
　　→ 利用することにおいて限界があり
❸ 장소나 시간따위에 제한받지 않고
　　→ 場所や時間などに制限されず
④ 비밀번호 도난의 리스크가 있고
　　→ 暗証番号の盗難のリスクがあり

【問2】 本文の内容と一致するものを①〜④の中から1つ選びな
　　　　 さい。　　　　　　　　　　　　　　　　　　 34

① 인터넷이 보급되기까지 많은 어려움이 있었다.
　　→ インターネットが普及されるまでたくさんの困難があった。
❷ 인터넷 상에서 얻은 정보를 무조건 신뢰해서는 안 된다.
　　→ インターネット上で得た情報を無条件に信頼してはいけない。
③ 거짓 정보에 속지 않도록 기존의 매체를 이용해야 한다.
　　→ 嘘の情報にだまされないように既存の媒体を利用するべきだ。

解 答

④ 앞으로는 인터넷을 통해 정보를 얻는 사람이 줄 것이다.

→ これからはインターネットを通じて情報を得る人が減るだろう。

11 下線部の日本語訳として適切なものを①～④の中から１つ選びなさい。

1) 그해 겨울은 여간 춥지 않았다. ☐35

→ その年の冬はちょっとやそっとの寒さではなかった。

① それほど寒くなかった。

② どちらかというと寒い方だった。

❸ ちょっとやそっとの寒さではなかった。

④ 寒いとは言えないくらいだった。

Point 여간 -지 않다は否定形に見えるが、「ちょっとやそっとの～さではない」、「とても～だ」という意味の慣用表現で、肯定の意味を強調したい時に使われる反語表現（内容の肯定と否定を反対にし、かつ疑問形にして断定を強める表現）である。여간 -지 않다は、여간 -가/이 아니다の形でも使われる。例：여간 춥지 않았다→여간 추운 게 (것이) 아니었다.

2) 가진 게 없다고 날 무시하다니 너무하네요. ☐36

→ 貧乏だからって私をバカにするなんてひどいですね。

① もう古くなったからって

② 飽きたからって

❸ 貧乏だからって

④ 欲しいものがないからって

Point 韓国・朝鮮語では「貧しい」、「貧乏だ」という意味で가진 게 없다「持っているものがない」、「財産がない」という表現を使う。①、②、④を韓国・朝鮮語に訳すと次の通りだ。①이미 낡았다고, 오래됐다고、②질렸다고, 싫증났다고、④갖고 싶은 것이 없다고, 필요한 게 없다고。

3) 여러분이 <u>응원해 준다면야 힘겨워도</u> 해야죠. ┃37┃

→ 皆さんが<u>応援してくれると言うなら大変でも</u>やらなくてはなりません。

① 応援してくれたり力になってくれるんであれば

② 応用することで力になるとしても

❸ 応援してくれると言うなら大変でも

④ 応用してくれるんであれば精一杯

┃12┃ 下線部の訳として適切なものを①～④の中から1つ選びなさい。

1) あまりにも失礼な事を言うから<u>黙っていられず</u>一言言ってやった。 ┃38┃

→ 너무나 실례되는 것을 말하니까 <u>참다 못해</u> 한마디 했다.

解 答

① 두말없이　　　→ つべこべ言わずに

② 입에 담지 못해　→ 口にするのも汚らわしく

❸ 참다 못해　　　→ 我慢できず

④ 말도 안 나와서　→ （呆れて）物も言えなくて

Point　「黙っていられず」は口を噤んでいられず、がまんしていられず、しずかにしていられず、じっとしていられずのように訳せるが、参다 못해「(我慢してたけど)我慢できず」もよく使う表現なので身につけよう。①は、두말 없이 따라와「つべこべ言わずに付いてこい」、②は、입에 담지 못할 심한 말을 들었다「口にするのも汚らわしい酷いことを言われた」、④は、어처구니없어서 말도 안 나왔다「呆れて言葉も出なかった」のように使われる。

2）痛い目に合わない限り、あの悪いくせは直らないと思う。

　→ <u>뜨거운 맛을 보지 않는 한</u> 그 나쁜 버릇은 고쳐지지 않을 거라 생각한다. 　　　 39

① 눈 하나 깜짝하지 않는 한

　→ びくともしない限り

❷ 뜨거운 맛을 보지 않는 한

　→ 痛い目に遭わない限り

③ 눈에 넣어도 아프지 않은 한

　→ 目に入れても痛くない限り

④ 단맛 쓴맛을 다 보지 않는 한

　→ 酸いも甘いも噛み分けない限り

Point　②の뜨거운 맛을 보다は「灸を据えられる」という意味の慣用句で、「ひどい目に逢う」、「痛い目に遭う」というようにも訳せる。類似表

現として호되게 당하다, 따끔한 맛을 보다などがある。①は、그는 범인의 협박에 눈 하나 깜짝하지 않았다「彼は犯人の脅迫にびくともしなかった」、③は、눈에 넣어도 아프지 않은 자식들「目に入れても痛くない子どもたち」、④は、인생의 온갖 쓴맛 단맛을 맛봤다「人生のあらゆる甘酸をなめた」のように使われる。

3) ちょうど今連絡しようとしていたところです。　　　　40

　→ 마침 지금 연락하려던 참이었어요.

❶ 연락하려던 참이었어요.

　→ 連絡しようとしていたところです。

② 연락하려다 말았어요.

　→ 連絡しようとして止めました。

③ 연락하는 척했어요.

　→ 連絡するふりをしました。

④ 연락할 뻔했어요.

　→ 危うく連絡するところでした。

第52回

筆記　問題と解答

準２級聞きとり 正答と配点

●40点満点

問題	設問	マークシート番号	正　答	配　点
1	1)	1	②	2
	2)	2	①	2
	3)	3	④	2
	4)	4	①	2
2	1)	5	④	2
	2)	6	②	2
	3)	7	④	2
	4)	8	④	2
3	1)	9	②	2
	2)	10	①	2
	3)	11	③	2
	4)	12	②	2
4	1)	13	②	2
	2)	14	②	2
	3)	15	①	2
	4)	16	④	2
5	1)	17	③	2
	2)	18	④	2
	3)	19	③	2
	4)	20	③	2
合　計				40

準2級筆記　正答と配点

●60点満点

問題	設問	マークシート番号	正答	配点
1	1)	1	④	2
	2)	2	③	2
2	1)	3	②	1
	2)	4	③	1
	3)	5	④	1
	4)	6	①	1
	5)	7	③	1
	6)	8	②	1
3	1)	9	④	1
	2)	10	③	1
	3)	11	④	1
	4)	12	①	1
	5)	13	①	1
	6)	14	②	1
4	1)	15	④	1
	2)	16	③	1
	3)	17	②	1
	4)	18	①	1
	5)	19	④	1
5	1)	20	②	2
	2)	21	④	2
	3)	22	④	2

問題	設問	マークシート番号	正答	配点
6	1)	23	①	2
	2)	24	②	2
	3)	25	①	2
7	1)	26	②	1
	2)	27	④	1
	3)	28	①	1
8	問1	29	②	2
	問2	30	②	2
9	問1	31	③	2
	問2	32	④	2
10	問1	33	③	2
	問2	34	②	2
11	1)	35	③	2
	2)	36	③	2
	3)	37	③	2
12	1)	38	③	2
	2)	39	②	2
	3)	40	①	2
合　計				60

準2級

聞きとり　20問/30分
筆　　記　40問/60分

2019年 秋季 第53回
「ハングル」能力検定試験

【試験前の注意事項】
1）監督の指示があるまで、問題冊子を開いてはいけません。
2）聞きとり試験中に筆記試験の問題部分を見ることは不正行為となるので、充分ご注意ください。
3）この問題冊子は試験終了後に持ち帰ってください。
　　マークシートを教室外に持ち出した場合、試験は無効となります。
※ CD3 などの番号はCDのトラックナンバーです。

【マークシート記入時の注意事項】
1）マークシートへの記入は「記入例」を参照し、ＨＢ以上の黒鉛筆またはシャープペンシルではっ
　　きりとマークしてください。ボールペンやサインペンは使用できません。
　　訂正する場合、消しゴムで丁寧に消してください。
2）氏名、受験地、受験地コード、受験番号、生まれ月日は、もれのないよう正しくマークし、記入
　　してください。
3）マークシートにメモをしてはいけません。メモをする場合は、この問題冊子にしてください。
4）マークシートを汚したり、折り曲げたりしないでください。

※試験の解答速報は、11月10日の試験終了後、協会公式ＨＰにて公開します。
※試験結果や採点について、お電話でのお問い合わせにはお答えできません。
※この問題冊子の無断複写・ネット上への転載を禁じます。

◆次回 2020年 春季 第54回検定：6月7日（日）実施◆

ハングル能力検定協会
한글능력검정협회

「ハングル」能力検定試験

個人情報欄 ※必ずご記入ください

| 氏名 | 見本 |
| 受験地 | |

受験級	受験地コード	受験番号	生まれ月日

2 級… ○
準2級… ○
3 級… ○
4 級… ○
5 級… ○

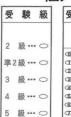

（記入心得）
1. ＨＢ以上の黒鉛筆またはシャープペンシルを使用してください。
（ボールペン・マジックは使用不可）
2. 訂正するときは、消しゴムで完全に消してください。
3. 枠からはみ出さないように、ていねいに塗りつぶしてください。

（記入例）解答が「1」の場合
良い例
悪い例　レ点　薄い　バツテン　点　うすい

聞きとり

1	① ② ③ ④
2	① ② ③ ④
3	① ② ③ ④
4	① ② ③ ④
5	① ② ③ ④
6	① ② ③ ④
7	① ② ③ ④
8	① ② ③ ④
9	① ② ③ ④
10	① ② ③ ④
11	① ② ③ ④
12	① ② ③ ④
13	① ② ③ ④
14	① ② ③ ④
15	① ② ③ ④
16	① ② ③ ④
17	① ② ③ ④
18	① ② ③ ④
19	① ② ③ ④
20	① ② ③ ④

筆記

1	① ② ③ ④
2	① ② ③ ④
3	① ② ③ ④
4	① ② ③ ④
5	① ② ③ ④
6	① ② ③ ④
7	① ② ③ ④
8	① ② ③ ④
9	① ② ③ ④
10	① ② ③ ④
11	① ② ③ ④
12	① ② ③ ④
13	① ② ③ ④
14	① ② ③ ④
15	① ② ③ ④
16	① ② ③ ④
17	① ② ③ ④
18	① ② ③ ④
19	① ② ③ ④
20	① ② ③ ④
21	① ② ③ ④
22	① ② ③ ④
23	① ② ③ ④
24	① ② ③ ④
25	① ② ③ ④
26	① ② ③ ④
27	① ② ③ ④
28	① ② ③ ④
29	① ② ③ ④
30	① ② ③ ④
31	① ② ③ ④
32	① ② ③ ④
33	① ② ③ ④
34	① ② ③ ④
35	① ② ③ ④
36	① ② ③ ④
37	① ② ③ ④
38	① ② ③ ④
39	① ② ③ ④
40	① ② ③ ④

41 問〜50 問は2級のみ解答

41	① ② ③ ④
42	① ② ③ ④
43	① ② ③ ④
44	① ② ③ ④
45	① ② ③ ④
46	① ② ③ ④
47	① ② ③ ④
48	① ② ③ ④
49	① ② ③ ④
50	① ② ③ ④

K12516T 110kg

ハングル能力検定協会

聞きとり問題

CD41

1 短い文と選択肢を２回ずつ読みます。文の内容に合うもの
を①～④の中から１つ選んでください。解答はマークシー
トの１番～４番にマークしてください。
（空欄はメモする場合にお使いください）　　〈２点×４問〉

CD42

１）_____ ☐1

　①_____　②_____　③_____　④_____

CD43

２）_____ ☐2

　①_____　②_____　③_____　④_____

CD44

3 ）--- 3

　　　①----------------------------　②----------------------------
　　　③----------------------------　④----------------------------

CD45

4 ）--- 4

　　　①---
　　　②---
　　　③---
　　　④---

問　題

CD46

2 対話文を聞いて、その内容と一致するものを①〜④の中から１つ選んでください。問題は全部で４つです。問題文は2回読みます。解答はマークシートの５番〜８番にマークしてください。

（空欄はメモをする場合にお使いください）　　〈2点×4問〉

CD47

1)　　　　　　　　　　　　　　　　　　　　　　　　　　5

남：--

여：--

　　--

① 남자는 10층에서 엘리베이터를 탔다.

② 남자는 15층 버튼을 누르려고 했다.

③ 남자는 다른 엘리베이터를 타야 한다.

④ 남자와 여자는 같은 층에 가려고 한다.

第53回

問　題

CD48

2)

6

여 : _____

_____

남 : _____

_____

① 남자의 휴대폰 수리가 지난주에 끝났다.
② 남자는 휴대폰을 잃어버려서 새것을 사러 왔다.
③ 남자는 한 주 동안 휴대폰 없이 생활했다.
④ 여자는 남자의 휴대폰을 고장 내서 사과했다.

CD49

7

3)

남 : _____

여 : _____

① 남자는 어쩔 수 없이 봉사 활동을 해야 한다.
② 두 사람은 회사 동료이다.
③ 여자는 몸이 불편해서 남자에게 도움을 받는다.
④ 두 사람은 학과에서 주최하는 행사에 참여하려고 한다.

問　題

CD50

4） 　　　　　　　　　　　　　　　　　　　　　　　　　　　　8

여 : --
남 : --

① 남자는 지금의 경제 상황을 걱정하고 있다.

② 여자는 사고를 목격했다.

③ 여자는 남자에게 물건을 사라고 했다.

④ 남자와 여자는 생방송 경기를 보고 있다.

第53回 問題

3 短い文を2回読みます。引き続き4つの選択肢も2回ずつ読みます。応答文として適切なものを①〜④の中から1つ選んでください。解答はマークシートの9番〜12番にマークしてください。

（空欄はメモをする場合にお使いください）　〈2点×4問〉

CD52

1）남：_____

　　여：(　　**9**　　)

　　①_____
　　②_____
　　③_____
　　④_____

問　題

CD53

2) 여 :＿＿＿＿＿＿＿＿＿＿＿＿＿＿＿＿＿＿＿＿＿＿＿＿＿＿＿＿＿＿＿
　　남 : (　　**10**　　)

　　　①＿＿＿＿＿＿＿＿＿＿＿＿＿＿＿＿＿＿＿＿＿＿＿＿＿＿＿＿＿＿＿
　　　②＿＿＿＿＿＿＿＿＿＿＿＿＿＿＿＿＿＿＿＿＿＿＿＿＿＿＿＿＿＿＿
　　　③＿＿＿＿＿＿＿＿＿＿＿＿＿＿＿＿＿＿＿＿＿＿＿＿＿＿＿＿＿＿＿
　　　④＿＿＿＿＿＿＿＿＿＿＿＿＿＿＿＿＿＿＿＿＿＿＿＿＿＿＿＿＿＿＿

CD54

3) 남 :＿＿＿＿＿＿＿＿＿＿＿＿＿＿＿＿＿＿＿＿＿＿＿＿＿＿＿＿＿＿＿
　　여 : (　　**11**　　)

　　　①＿＿＿＿＿＿＿＿＿＿＿＿＿＿＿＿＿＿＿＿＿＿＿＿＿＿＿＿＿＿＿
　　　②＿＿＿＿＿＿＿＿＿＿＿＿＿＿＿＿＿＿＿＿＿＿＿＿＿＿＿＿＿＿＿
　　　③＿＿＿＿＿＿＿＿＿＿＿＿＿＿＿＿＿＿＿＿＿＿＿＿＿＿＿＿＿＿＿
　　　④＿＿＿＿＿＿＿＿＿＿＿＿＿＿＿＿＿＿＿＿＿＿＿＿＿＿＿＿＿＿＿

問　題

CD55

4) 여 : _____

남 : (　　12　　)

①_____
②_____
③_____
④_____

問　題

CD56

4 文章もしくは対話文を聞いて、問いに答える問題です。問題は全部で4つです。問題文は2回読みます。解答はマークシートの13番〜16番にマークしてください。
（空欄はメモをする場合にお使いください）　〈2点×4問〉

CD57

1）文章を聞いて、その内容と一致するものを①〜④の中から1つ選んでください。　　　　　　　　　　　　　　　13

----

① 현재 전국적으로 날씨가 맑다.
② 주말부터 공기가 맑아질 것이다.
③ 내일 서울 아침은 따뜻할 것이다.
④ 수도권에만 비가 내릴 것이다.

CD59

2）文章を聞いて、その内容と一致するものを①〜④の中から1
　　つ選んでください。　　　　　　　　　　　　　　　　　　14

---

① 나의 행동은 아이 생각을 고려하지 않은 것이었다.

② 아이와 같이 양념 치킨을 시켜 먹었다.

③ 아이는 싫다는 표현을 하지 않았다.

④ 사랑은 굳이 말로 표현할 필요가 없다.

問　題

CD61

３）対話文を聞いて、その内容と一致するものを①～④の中から
　　１つ選んでください。　　　　　　　　　　　　　　　　　15

남 : _____

여 : _____

남 : _____

여 : _____

① 여자는 집에서 가까운 회사를 알아보고 있다.

② 여자는 역과의 거리를 중요시한다.

③ 여자는 먼저 본 집으로 계약했다.

④ 여자는 처음부터 1층 집이 마음에 들었다.

CD63

4）対話文を聞いて、その内容と一致するものを①～④の中から
　　1つ選んでください。

16

남 : _____

여 : _____

남 : _____

_____

여 : _____

① 여자는 이번에 초등학교를 졸업한다.

② 여자는 봄에 결혼식을 하려고 한다.

③ 여자는 결혼할 사람을 삼촌 소개로 만났다.

④ 여자는 결혼식 전에 삼촌에게 신랑감을 소개할 것이다.

問　題

CD65

5 文章もしくは対話文を聞いて、問いに答える問題です。問題は全部で４つです。問題文と選択肢をそれぞれ２回ずつ読みます。解答はマークシートの17番〜20番にマークしてください。

（空欄はメモをする場合にお使いください）　〈2点×4問〉

CD66

1 ）文章を聞いて、その主題として最も適切なものを①〜④の中から１つ選んでください。　　　　　　　　　　　　　17

----

① --
② --
③ --
④ --

CD69

2）文章を聞いて、ヨガ教室に関する内容と一致するものを①〜
　　④の中から1つ選んでください。　　　　　　　　　　18

----

①--
②--
③--
④--

問　題

CD72

3）対話文を聞いて、その内容と一致するものを①～④の中から
　　１つ選んでください。　　　　　　　　　　　　　　　　19

남：_____
　　_____
여：_____
　　_____
남：_____
여：_____

①_____
②_____
③_____
④_____

第53回

問　題

CD75

4）対話文を聞いて、薬に関する情報と一致するものを①〜④の
　　中から1つ選んでください。　　　　　　　　　　　20

　　　　남：--

　　　　--

　　　　여：--

　　　　남：--

　　　　여：--

　　　　①--

　　　　②--

　　　　③--

　　　　④--

筆記問題

1 下線部を発音どおり表記したものを①～④の中から１つ選びなさい。

（マークシートの１番～２番を使いなさい）　　〈2点×2問〉

1）피곤해서 옷 입은 채로 잤다.　　　　　　　　　　1

　　① ［옹이븐］　② ［오시븐］　③ ［온니븐］　④ ［오디믄］

2）볼일이 있어서 먼저 가 보겠습니다.　　　　　　　2

　　① ［본니리］　② ［보리리］　③ ［보니리］　④ ［볼리리］

2 ( )の中に入れるのに最も適切なものを①〜④の中から1つ選びなさい。

（マークシートの3番〜8番を使いなさい） 〈1点×6問〉

1）기부를 통해서 사랑의 (3) 이어지고 있다.

① 손가락질이 ② 온도가 ③ 손길이 ④ 매가

2）그의 말이 귀에 (4) 참을 수가 없었다.

① 거슬려서 ② 경쾌해서
③ 비참해서 ④ 부드러워서

3）학자들은 식사도 안 하고 (5) 유적지로 발걸음을 옮겼다.

① 결코 ② 곧장 ③ 불쑥 ④ 도무지

4) A : 학생들이 수업 때 그렇게 떠들었다며?

B : 너무 시끄러워서 내가 교탁을 세게 치니까 다들
(**6**   ) 조용해지더라.

① 심장이 강한 듯이   ② 물 만난 고기처럼
③ 산이 떠나갈 듯   ④ 쥐 죽은 듯이

5) A : 친구 결혼식인데 청바지로 가는 건 실례일까요?

B : 아무리 친구 결혼식이라고 해도 (**7**   ) 양복을 입
는 게 좋을 것 같은데요.

A : 제가 여름 양복이 없어서요.

① 점잖은 자리에 맞게   ② 트집을 잡고
③ 자리를 만들어서   ④ 속이 시원하게

6) A : 경쟁사에서 비슷한 제품을 더 싼 가격으로 판매한다고
합니다.

B : 이렇게 (**8**   ) 당하고만 있을 겁니까?

A : 안 그래도 대책 회의를 열려던 참입니다.

① 일석이조로   ② 속수무책으로
③ 과대망상으로   ④ 시기상조로

3 ( )の中に入れるのに適切なものを①～④の中から1つ選びなさい。

(マークシートの9番～14番を使いなさい) 〈1点×6問〉

1) 남이 버린 옷을 입는다는 것은 나에게는 (9) 할 수 없는 일이다.

① 생각만큼   ② 생각이나   ③ 생각조차   ④ 생각마저

2) 사소한 (10) 나중에 우리 사업의 발목을 잡을 수도 있다.

① 문제이듯이   ② 문제이더니
③ 문제일지라도   ④ 문제이길래

3) 내 꿈을 (11) 이 정도 투자는 아깝지 않다.

① 이룰 수 있다면야   ② 이룰 수 있으리라고
③ 이룰 수 있다든지   ④ 이룰 수 있더라도

4) 이 강의는 (　12　) 감점을 받는다.

① 지각하기라도 한 듯　　② 지각하는 데다가
③ 지각하는 식으로　　　　④ 지각한 만큼

5) A : 모처럼 손님들을 초대했는데 맛없으면 어떡하죠?
　　 B : 신선한 재료를 구했으니 요리의 반은 (　13　)

① 성공할 듯 말 듯해요.　　② 성공한 셈이에요.
③ 성공할 틈도 없어요.　　　④ 성공할 뻔했어요.

6) A : 지난 겨울에 한국에 갔다 오셨다면서요? 어땠어요?
　　 B : (　14　)
　　 A : 한국의 겨울은 처음이셨죠? 고생하셨어요.

① 얼마나 추웠는지 몰라요.　② 추울 것만 같았어요.
③ 춥단 말이에요?　　　　　④ 춥기 마련이었어요.

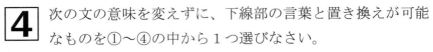

4 次の文の意味を変えずに、下線部の言葉と置き換えが可能なものを①〜④の中から 1 つ選びなさい。

(マークシートの15番〜19番を使いなさい) 〈1点×5問〉

1) 그 아이는 한 번 가르쳐 주면 곧잘 따라 한다. ☐15

　　① 조용히　　② 제법 잘　　③ 그제서야　　④ 떠듬떠듬

2) 입술을 깨물며 <u>울음을 삼켰다</u>. ☐16

　　① 울기 시작했다　　　　② 눈물을 흘렸다
　　③ 울음을 참았다　　　　④ 울음을 터뜨렸다

3) 언제까지나 비밀이 <u>지켜질 것이라는 보장은 없다</u>. ☐17

　　① 지켜지는 것과 다름없다　　② 지켜지도록 해야 한다
　　③ 지켜질 듯싶다　　　　　　④ 지켜지리라는 법은 없다

4） 그 사람은 <u>의심스러운 눈치를 보이면서도</u> 관심은 있는 듯
했다.　　　　　　　　　　　　　　　　　　　 18

① 반신반의하면서도　　　　② 비몽사몽 하면서도
③ 심사숙고 끝에　　　　　　④ 생사고락을 같이 한 끝에

5） A : 어머니, 아버지에게 술 좀 적당히 드시라고 말씀 좀
하세요.
B : 내가 말해 봤자 <u>네 아버지가 들을 것 같냐?</u>　　 19

① 도토리 키재기지.　　　　② 그 아버지에 그 아들이지.
③ 쇠귀에 경 읽기지.　　　　④ 불난 집에 부채질하기지.

第53回 問題

5 すべての（　　　）の中に入れることができるもの（用言は
適当な活用形に変えてよい）を①～④の中から 1 つ選びな
さい。
（マークシートの20番～22番を使いなさい）　〈2点×3問〉

1) ・시민들은 선거에서 그 후보의 （　　　　）을 들어 줬다.

　　・잡채는 （　　　　）이 많이 가는 음식이에요.

　　・다시 만날 날을 （　　　　）꼽아 기다리고 있다.　　**20**

　　① 부탁　　　② 손가락　　③ 손　　　　④ 편

2) ・잘못 （　　　　） 버릇은 나중에 고치기 어렵다.

　　・아들 걱정에 결국 병이 （　　　　） 말았다.

　　・고개를 （　　　　） 당당하게 말을 했다.　　**21**

　　① 나다　　　② 생기다　　③ 숙이다　　④ 들다

3) ・저는 커피에 설탕 대신 꿀을 （　　　　）.

　　・첫 월급을 （　　　　） 뭐 할 거예요?

　　・저는 더위를 많이 （　　　　） 여름을 싫어해요.　　**22**

　　① 타다　　　② 넣다　　　③ 받다　　　④ 먹다

6 対話文を完成させるのに最も適切なものを①〜④の中から
　　１つ選びなさい。

（マークシートの23番〜25番を使いなさい）　　〈2点×3問〉

1 ）　A：저는 해외 영업 담당을 맡고 있어요.

　　　B：그럼 출장이 많을 거 같은데 부담 안 되세요?

　　　A：(　 **23** 　) 그래도 제 일인데 최선을 다해야죠.

　　① 늦게까지 일해 본 사람이 없을걸요.

　　② 출장은 가나 마나예요.

　　③ 부담이 되기는 뭐가 부담이 돼요?

　　④ 왜 부담이 안 되겠어요?

2 ）　A：네가 좋아하는 먹을 거랑 돈 좀 챙겨서 가방에 넣었다.

　　　B：엄마, (　 **24** 　)

　　　A：어떻게 그냥 널 보내겠니? 혼자서 유학 생활 하는 게
　　　　　얼마나 힘든데.

　　① 번거롭게 들고 다니지 마세요.

　　② 누가 우리 엄마 힘들게 하는 거야?

　　③ 매번 그러지 마세요. 나도 이제 다 컸어요.

　　④ 잘 먹을게요. 부디 조심히 가세요.

3) A : 상수 씨 얼굴 표정이 왜 저렇게 어두워 보여요?

 B : 이번에 회사 내 영어 시험에 떨어져서 승진 기회를 놓
  쳐 버렸대요.

 A : (　　25　　)

 B : 그보다 지금은 어쩌면 혼자 내버려 두는 게 나을 수도
  있어요.

① 제 실력을 발휘 못한 모양이네요.

② 영어 시험 말고는 잘 본 게 없대요.

③ 우리가 위로라도 해 줘야 하는 거 아니에요?

④ 혼자만의 시간을 갖는 게 좋지 않을까요?

7 下線部の漢字と同じハングルで表記されるものを①～④の中から1つ選びなさい。

(マークシートの26番～28番を使いなさい) 〈1点×3問〉

1) 反<u>省</u> 　　　26

　　① 精　　　② 誠　　　③ 請　　　④ 政

2) 銅<u>銭</u> 　　　27

　　① 存　　　② 準　　　③ 障　　　④ 典

3) <u>減</u>少 　　　28

　　① 鑑　　　② 看　　　③ 関　　　④ 講

第53回 問題

8 文章を読んで【問1】～【問2】に答えなさい。
（マークシートの29番～30番を使いなさい）　〈2点×2問〉

올해 8월부터 서울시에서 행해지는 '플라스틱 컵' 사용 금지법에 대해서 시민들 사이에 찬반* 논쟁이 벌어지고 있습니다. 가게 내에서 음료를 마실 때는 플라스틱 컵을 쓸 수 없다는 규정인데요. 환경을 보호한다는 점에서 환영하는 사람들도 있는 반면에 불만의 목소리를 내는 사람들도 있습니다. 그 이유는 가게 입장에서 플라스틱 컵 대신에 머그컵*이나 유리컵을 이용할 시 설거지에 대한 부담이 커지기 때문이라고 합니다. 또한 소비자 입장에서는 "그럼 마시다가 나가고 싶은 사람은 어떡하냐⁉" 라는 의견도 있었습니다. 하지만 환경을 위해서는 우리 모두의 적극적인 협조가 필요할 것입니다.

*) 찬반 : 賛成と反対、머그컵 : マグカップ

【問1】　本文のタイトルとして最も適切なものを①～④の中から1つ選びなさい。　29

① 날로 더해가는 머그컵 사용에 대한 수요
② 유리컵을 깨끗이 쓰려면
③ 플라스틱 컵 사용에 대한 대립 의견
④ 카페의 새로운 판매 전략

【問２】　プラスチックカップの使用に関する内容と一致するもの
　　　　　を①〜④の中から１つ選びなさい。　　　　　30

① 원하는 사람에 한해서는 플라스틱 컵이 제공된다.
② 매장 내 이용 금지에 대해 불만인 사람들도 있다.
③ 모든 시민들이 플라스틱 컵 사용을 삼가고 있다.
④ 이번 정책에 대해서 옳다고 생각하는 사람들이 대부분
　이다.

第53回

9 対話文を読んで【問1】～【問2】に答えなさい。
(マークシートの31番～32番を使いなさい)　〈2点×2問〉

여 : 내가 기가 막혀서, 정말.

남 : 왜 그래? 쇼핑 가서 무슨 일 있었어?

여 : 옷을 두 벌 사면 한 벌은 반값이라고 했는데 계산하려 하
니까 20%밖에 싸게 안 해 주는 거예요.

남 : 싸다고 해서 일부러 거기까지 간 거잖아. 그래서 안 사고
그냥 온 거야?

여 : 살 리가 있어요? 화가 나서 따졌더니 광고 글 밑에 작은
글씨로 '신상품 제외'라고 쓰여 있으니 문제될 게 없다고
주장하는 거예요.

남 : 제대로 확인 안 한 당신 책임도 있겠지만, 소비자의 심리
를 노리는 판매 전략이네.

여 : 이건 소비자를 속이는 행위라고요! 그럴 거라면 크게 써
놓았어야죠.

【問1】 女性が怒っている理由として最も適切なものを①～④の
中から1つ選びなさい。　　　　　　　　　　　　　31

① 결제 조건이 까다로워서
② 광고 방식에 불만이 있어서
③ 상품 표기가 잘못 돼서
④ 다른 상품이 제공돼서

【問2】 対話文の内容と一致しないものを①～④の中から1つ選
びなさい。　　　　　　　　　　　　　　　　　32

① 여자는 판매 방법에 문제 제기를 하고 있다.
② 여자는 반값인 줄 알고 옷을 사려고 했다.
③ 남자는 여자에게도 잘못이 있다고 생각한다.
④ 여자는 신상품을 20% 싸게 샀다.

10 文章を読んで【問１】～【問２】に答えなさい。
(マークシートの33番～34番を使いなさい)　〈2点×2問〉

등하교 버스에서 좋아하는 여자 애가 타면 괜히 마음이 두근거리고 교복 깃을 한 번 더 만지곤 했던 고교 시절. 말 한 마디 걸지 못하는 숙맥*이었지만 그저 같은 공간에 있는 것만으로도 기분이 좋았다. 같은 동네에 살고 있다는 것을 알고부터는 그녀의 작은 행동 하나에도 의미를 찾고 분석했다. 그녀를 (33) 내 부족함이 더 커 보이기도 했다. 결국은 이루지 못한 사랑으로 남아 아직도 생각하면 가슴이 쓰리다. 사람들은 이런 사랑을 풋사랑*이라고들 한다지만 그 자체만으로도 34<u>아름다웠던</u> 그때 그 시절이었다.

*) 숙맥：おくて、풋사랑：淡い恋

【問１】 (33)に入れるのに適切でないものを①～④の中から１つ選びなさい。

① 좋아함으로 인해
② 좋아함으로써
③ 좋아하려고 해도
④ 좋아하다 보니

問　題

【問２】　筆者が高校時代を34아름다웠던と表現した理由を①〜④
　　　　　の中から１つ選びなさい。　　　　　　　　　　34

　　① 순수했으니까
　　② 용기가 있었으니까
　　③ 겁이 없었으니까
　　④ 외로웠으니까

第53回 問題

11 下線部の日本語訳として適切なものを①〜④の中から1つ選びなさい。

（マークシートの35番〜37番を使いなさい）　〈2点×3問〉

1）듣기 좋으라고 하는 소리인 줄은 알지만 기분은 좋네요.

35

① 耳に優しい音
② きちんと聴きなさいという意味
③ 聞き取りやすい声
④ お世辞

2）피해자와의 합의를 이끌어 낸다 치더라도 그 다음이 문제이다.

36

① 引きずり出すと言っても
② 取り付けたとしても
③ おびき出して殴っても
④ 導き出すことに成功すれば

3) 엉덩이가 쑤셔서 <u>가만히 앉아 있을 수가 있어야지요.</u> 　37　

① じっと座っていることは到底無理です。
② 静かに座ることができないといけません。
③ おとなしく座っていなければなりません。
④ まったく立っていられませんよね。

第53回 問題

12 下線部の訳として適切なものを①〜④の中から１つ選びなさい。

(マークシートの38番〜40番を使いなさい) 〈2点×3問〉

1) 別れた人の話をされても、<u>俺の知ったことじゃない。</u> 38

① 내가 알 만할까?
② 내가 알 게 뭐야.
③ 내가 알 텐데.
④ 내가 알려면 멀었어.

2) <u>家が古いからか手入れするところ</u>がたくさんありましたよ。

39

① 집이 오래되었기 때문에 손때가 묻은 곳
② 집이 오래돼서 그런지 손볼 데
③ 집이 낡다 보니까 손을 넣는 곳
④ 헌 집이라서 새로 지어야 할 때

3）<u>初めからやらなかったならともかく</u>、今さらできないとは言
えない。 40

① 나중에 못 하는 한이 있어도
② 처음부터 안 한다고 하면 어쨌든
③ 처음부터 안 했다면 모를까
④ 시작부터 못 한다 할지라도

《《《聞きとり

聞きとり 問題と解答

　これから準2級の聞きとりテストを行います。選択肢①〜④の中から解答を1つ選び、マークシートの指定された欄にマークしてください。どの問題もメモをする場合は問題冊子の空欄にしてください。マークシートにメモをしてはいけません。では始めます。

1 短い文と選択肢を2回ずつ読みます。文の内容に合うものを①〜④の中から1つ選んでください。解答はマークシートの1番〜4番にマークしてください。次の問題に移るまでの時間は10秒です。

1) 같은 목적을 가지고 모인 사람들의 집단을 말합니다.　**1**
　→ 同じ目的を持って集まった人々の集団のことを言います。

　　① 무더위　→ 蒸し暑さ　　❷ 동아리　→ サークル
　　③ 본보기　→ 手本　　④ 동그라미　→ 丸

2) 성격, 모습 등이 조용하고 점잖다는 뜻입니다.　**2**
　→ 性格、姿などが物静かでおとなしいという意味です。

　　① 눈부시다　→ 眩しい　　② 쑥스럽다　→ 照れ臭い
　　❸ 얌전하다　→ おとなしい　　④ 지루하다　→ 退屈だ

Point　正答は③の얌전하다「おとなしい」。점잖다と얌전하다は類似表現で

132

解 答

あるが、점잖다は암전하다に比べて意味の幅が広く、言葉遣いや態度が気品があって重みのある様子にも使われる。점잖은 노인「ものやわらかな老人」。

3) 일이나 사건이 앞으로 어떻게 될지 명백하다는 뜻입니다.

→ 物事や事件が今後どうなるか明白であるという意味です。　　3

❶ 불을 보듯 뻔하다　→　火を見るよりも明らかだ

② 세월이 약이다　　　→　時が物事を解決してくれる

③ 숨 쉴 새도 없다　　→　息つく暇もない

④ 말하면 길다　　　　→　話せば長くなる

Point 慣用句の問題。正答は①である。「火を見るように明るい」という意味から、「言うまでもなく明白である」という意味を表す。誤答の②は、直訳では「歳月が薬である」だが、「時が物事を解決してくれる」という意味。③の새は사이「間、期間」の縮約形。없다と共に用いられて「時間がない」という意味を成す。

4) 윗사람이 바르게 행동해야 아랫사람도 바르게 행동한다는 속담입니다.　　4

→ 目上が正しく行動してこそ目下も正しく行動するということわざです。

① 물 위의 기름

　　→　水と油

② 우물을 파도 한 우물을 파라

　　→　何事でも一つのことに励めば成功する

第53回 解答

③ 강물도 쓰면 준다

→ 座して食らえば山もむなし

❹ 윗물이 맑아야 아랫물이 맑다

→ 上清めば下も濁らず

Point ことわざの問題。誤答の②は、直訳では「井戸を掘っても一つの井戸を掘れ」となり、「何事でも一つのことに励めば成功する」という意味。③の直訳は「川の水も使えば減る」で、「遊んで暮らすとどんなにある財産でも無くなってしまう」という意味の浪費を戒めることば。

2 対話文を聞いて、その内容と一致するものを①～④の中から1つ選んでください。問題文は2回読みます。解答はマークシートの5番～8番にマークしてください。次の問題に移るまでの時間は20秒です。

1） 남 : 죄송합니다만 10층 버튼 좀 눌러 주시겠어요?

여 : 10층이요? 이건 15층부터 이용할 수 있는데요. 옆 엘리베이터를 타세요.

5

→ 男 : すみませんが、ちょっと10階のボタンを押してくださいませんか。
　女 : 10階ですか。これは15階から利用できるのですが。隣のエレベーターに乗ってください。

① 남자는 10층에서 엘리베이터를 탔다.

→ 男性は10階でエレベーターに乗った。

解 答

② 남자는 15층 버튼을 누르려고 했다.

→ 男性は15階のボタンを押そうとした。

❸ 남자는 다른 엘리베이터를 타야 한다.

→ 男性は違うエレベーターに乗らないといけない。

④ 남자와 여자는 같은 층에 가려고 한다.

→ 男性と女性は同じ階に行こうとしている。

2) 여 : 고객님, 지난주에 맡기신 휴대폰 수리가 덜 끝났습니다. 죄송합니다.

남 : 뭐라고요? 휴대폰이 없어서 일주일 내내 일을 제대로 할 수 없었는데…….

6

→ 女 : お客様、先週お預かりした携帯電話の修理がまだ終わっていません。申し訳ありません。

男 : 何ですって？　携帯電話がなくて一週間ずっと仕事がまともにできなかったのに…。

① 남자의 휴대폰 수리가 지난주에 끝났다.

→ 男性の携帯電話の修理が先週終わった。

② 남자는 휴대폰을 잃어버려서 새것을 사러 왔다.

→ 男性は携帯電話を失くして新しい物を買いに来た。

❸ 남자는 한 주 동안 휴대폰 없이 생활했다.

→ 男性は一週間携帯電話なしで生活した。

④ 여자는 남자의 휴대폰을 고장 내서 사과했다.

→ 女性は男性の携帯電話を壊して謝った。

Point 女性店員と男性客との対話。男性の일주일 내내 일을 제대로 할 수

없었는데「一週間ずっと仕事がまともにできなかったのに」という発言から③が正答であることが明白。내내は「終始、ずっと」という意味で、오후 내내「午後いっぱい」のように時間表現の後ろに付けて使う。④は、女性の고객님「お客様」と수리가 덜 끝났다「修理がまだ終わっていない」という発言から、誤答であることが分かる。

3) 남 : 선배, 학과에서 가는 봉사 활동에 저도 참여하고 싶어요.

여 : 어 정말? 안 그래도 일손이 부족했는데 정말 잘됐다.

→ 男 : 先輩、(大学の)学科で行くボランティアに私も参加したいです。

女 : えっ、本当？ ちょうど人手が足りなかったんだけど、本当に良かった。 ⟦7⟧

① 남자는 어쩔 수 없이 봉사 활동을 해야 한다.

→ 男性は仕方なくボランティア活動をしなければならない。

② 두 사람은 회사 동료이다.

→ 二人は会社の同僚である。

③ 여자는 몸이 불편해서 남자에게 도움을 받는다.

→ 女性は体が不自由で男性に助けてもらう。

❹ 두 사람은 학과에서 주최하는 행사에 참여하려고 한다.

→ 二人は学科で主催する行事に参加しようとしている。

4) 여 : 신문 보셨어요? 주식값이 많이 떨어졌더라고요.

남 : 그러게. 경기가 좀처럼 풀리지 않아서 큰일이야. ⟦8⟧

→ 女 : 新聞見ましたか。株価がずいぶん下がりましたよ。

男 : そうだな。景気がなかなか回復しなくて大変だよ。

解 答

❶ 남자는 지금의 경제 상황을 걱정하고 있다.

→ 男性は今の経済状況を心配している。

② 여자는 사고를 목격했다.

→ 女性は事故を目撃した。

③ 여자는 남자에게 물건을 사라고 했다.

→ 女性は男性に品物を買えと言った。

④ 남자와 여자는 생방송 경기를 보고 있다.

→ 男性と女性は生放送の試合を見ている。

Point 男性の発言の中にある경기と우い単語は漢字語で、かつ同音異義語。「競技(試合という意味でも用いられる)」と「景気」がそれである。女性の最初の주식값이 많이 떨어졌다「株価がずいぶん下がった」という発言から、「試合」ではなく、「経済の景気」のことを話していることが分かる。よって①が正答。

3 短い文を2回読みます。引き続き4つの選択肢も2回ずつ読みます。応答文として適切なものを①〜④の中から1つ選んでください。解答はマークシートの9番〜12番にマークしてください。次の問題に移るまでの時間は10秒です。

1) 남 : 급한 거 아니면 내일 통화하자. 나 지금 자다가 전화 받았거든.

여 : (┃ **9** ┃)

→ 男：急ぎじゃなければ、明日話そう。僕、今寝てたのに、電話で起こされたんだよ。

第53回　解答

女：（ 9 ）

① 고마워. 전화해 줘서.

　→ ありがとう。電話してくれて。

② 괜찮아. 하고 싶은 말이 있으면 해.

　→ 大丈夫。言いたいことがあれば言って。

❸ 지금 자고 있을 때가 아니야. 큰일 났어.

　→ 今寝ている場合じゃないわよ。大変なのよ。

④ 저기, 전화 잘못 거신 것 같은데요.

　→ あのぅ、かけ間違いだと思いますが。

Point 正答は③である。男性のセリフの中にある자다가の–다가は接続語尾。動詞の語幹に付いて、その動作・行為が完了していない途中で別の動作・行為に移る時に使う表現である。男性の나 지금 자다가 전화 받았거든の자다가から、かかってきた電話で起こされた、ということが分かる。また、–거든が使われていて、「急ぎじゃなければ、明日話そう」という発言の理由を表している。

2）여：고객님, 죄송하지만 반품 이유를 여쭤 봐도 되겠습니까?

남：（ 10 ）

　→ 女：お客様、申し訳ありませんが、返品の理由をお伺いしてもよろしいでしょうか。

　男：（ 10 ）

❶ 입어 보니까 사이즈가 작아서 안 맞더라고요.

　→ 着てみたら、サイズが小さくて合わなかったんです。

解 答

② 그게 제가 알고 싶은 이유네요.

→ それが私が知りたい理由ですよ。

③ 이건 저한테 조금 클 거라고 생각하세요?

→ これは私に少し大きいと思いますか。

④ 제 아들에게 선물했더니 정말 기뻐하더라고요.

→ 私の息子にプレゼントしたら、本当に喜んでいました。

Point 正答①の文中の接続語尾‐(으)니까は、理由を表す「～するから、～するので」の用法もあれば、事実関係を表す「～したら、～すると」の用法もある。ここでは、後者の意味で用いられている。そして、話し手が経験したことを聞き手に伝えるときに使う‐더라고요を用いている。返品の理由を尋ねる問題であることから、②～④は誤答であることが分かる。

3) 남 : '올해의 인물'로 뽑히셨는데 한 말씀 부탁드립니다.

여 : (　11　)

→ 男 :「今年の人物」に選ばれましたが、一言お願い致します。

女 : (　11　)

① 웬만하면 다른 일을 하지 그랬어요.

→ できれば、違うことをやればよかったんじゃないですか。

② 올해는 성공할래야 성공할 수가 없어요.

→ 今年は成功したくても成功することができません。

❸ 지금도 믿어지지 않을 따름입니다.

→ 今もただただ信じられません。

④ 이번에 새로운 인물을 뽑는 게 어려웠습니다.

→ 今回、新しい人物を選ぶのが難しかったです。

Point 正答は③である。–(으)ㄹ　따름이다の따름は「～だけ、～のみ」の意味で、未来連体形–(으)ㄹに続いて「～するだけだ、～するかぎりだ」の意味で使われる。따름は뿐とは違って名詞には使えず、動詞や形容詞にしか使えないことに注意。一方、今年の人物として選ばれた人に感想を聞いている問題であることから、他の選択肢は的外れな応答となる。

4）여 : 아까 점심도 먹는 듯 마는 듯하더니, 안색이 안 좋네.
　　 어디 불편해?

　　남 : (　12　)

→ 女 : さっき、昼食もあまり食べてないような感じだったけど、顔色
　　　 が悪いね。どこか具合でもよくないの？

　　男 : (　12　)

① 아니, 이 식당은 아주 편해.

　　→ いや、この食堂はとても便利だよ。

❷ 어젯밤에 늦게 먹은 게 체한 듯싶어.

　　→ 昨夜、夜遅く食べたのがあたったみたい。

③ 이 의자가 너무 불편해 죽겠어.

　　→ この椅子が不便でたまらないよ。

④ 요즘 살이 빠진 듯해서 평소보다 많이 먹었네.

　　→ 最近痩せたような気がして、いつもよりたくさん食べたのさ。

Point 問題文中の–는　듯　마는　듯は、動作を表す動詞に付いて「～しているようでもあり、してないようでもある」という意味。女性が男性に対して感じていた점심도　먹는　듯　마는　듯하더니「昼食もあまり食べてないような感じだったけど」という発話と「顔色が悪い」という発話から、男性の体調に何らかの異変が生じたことが分かる。②

解　答

の체하다は、連体形の後ろに付く체 하다と混同しやすいが、前者が「食もたれする」という意味であるに対して、後者は「～ふりをする」という意味であることに注意。-는 듯싶다は -는 것 같다と類似表現である。ただし、-는 것 같다が話し手自身の感情や気持ちなども表すのに対して、-는 듯싶다はそれができない。一方、「椅子が不便である」ということと「顔色が悪い」ということとの関連性は薄いことから、③は誤答である。

4 文章もしくは対話文を聞いて、問いに答える問題です。問題文は２回読みます。解答はマークシートの13番～16番にマークしてください。次の問題に移るまでの時間は30秒です。

1）文章を聞いて、その内容と一致するものを①～④の中から１つ選んでください。　　　　　　　　　　　　　13

　전국이 먼지로 둘러싸여 있는 상황입니다. 내일 아침 기온은 서울이 2도, 전주 6도, 부산 8도로 다소 춥겠습니다. 모레 주말부터는 전국적으로 비가 내리겠습니다만, 비가 오면서 공기도 깨끗해지겠습니다. 날씨였습니다.

[日本語訳]

　全国が埃におおわれている状況です。明日の朝の気温はソウルが２度、全州６度、釜山８度と少し寒いでしょう。明後日の週末からは全国的に雨が降りますが、雨が降って空気もきれいになる

でしょう。お天気でした。

① 현재 전국적으로 날씨가 맑다.
　　→ 現在、全国的に晴れている。
❷ 주말부터 공기가 맑아질 것이다.
　　→ 週末から空気がきれいになるだろう。
③ 내일 서울 아침은 따뜻할 것이다.
　　→ 明日のソウルの朝は暖かいだろう。
④ 수도권에만 비가 내릴 것이다.
　　→ 首都圏にだけ雨が降るだろう。

2）文章を聞いて、その内容と一致するものを①〜④の中から1
つ選んでください。　　　　　　　　　　　　　　14

　나는 어제 퇴근 길에 양념 치킨을 사서 집에 돌아갔다. 하지
만 아이는 안 먹겠다고 했다. 섭섭한 마음에 화를 내자 아이는
"그럴 거면 미리 물어보고 사 오지 그랬어요?"라고 했다. 그
때 비로소 나의 행동이 일방적인 것이었다고 깨달았다.

[日本語訳]
　私は昨日、仕事の帰りにヤンニョム(味付け)チキンを買って家
に帰った。しかし、子どもに食べないと言われた。残念に思い腹
を立てると、子どもは「だったら前もって聞いてから買ってくれ
ばよかったじゃない」と言った。その時、初めて私の行動が一方

解 答

的なことだったと気づいた。

❶ 나의 행동은 아이 생각을 고려하지 않은 것이었다.
　　→ 私の行動は子どもの思いを考慮しないものだった。
② 아이와 같이 양념 치킨을 시켜 먹었다.
　　→ 子どもと一緒にヤンニョムチキンをデリバリーで頼んで食べた。
③ 아이는 싫다는 표현을 하지 않았다.
　　→ 子どもは嫌という表現をしなかった。
④ 사랑은 굳이 말로 표현할 필요가 없다.
　　→ 愛はあえて言葉で表す必要がない。

3）対話文を聞いて、その内容と一致するものを①〜④の中から
　　1つ選んでください。　　　　　　　　　　　　　　　15

남 : 이 집은 역에서 가까운 게 최대의 장점입니다.
여 : 그건 좋은데 1층인 게 마음에 걸리네요.
남 : 그럼 바로 직전에 보신 집으로 하시겠어요?
여 : 음, 회사가 머니까 역에서 가까운 이 집으로 해야겠어요.

[日本語訳]
男：この家は駅から近いのが最大のメリットです。
女：それはいいですけど、1階であることが気になりますね。
男：では、すぐ前にご覧になった家になさいますか。
女：うーん、会社が遠いから駅から近いこの家にします。

① 여자는 집에서 가까운 회사를 알아보고 있다.

　　→ 女性は家から近い会社を調べている。

❷ 여자는 역과의 거리를 중요시한다.

　　→ 女性は駅との距離を重要視している。

③ 여자는 먼저 본 집으로 계약했다.

　　→ 女性は先に見た物件を契約した。

④ 여자는 처음부터 1층 집이 마음에 들었다.

　　→ 女性は最初から1階の物件が気に入った。

Point 女性が家を探していて、物件を見ている場面である。最後の女性の「駅から近いこの家にします」という発言から、③は誤答で、正答は②であると分かる。①は女性が調べているのは、会社ではなく住む家なので、誤答。また、女性が今見ている家は「1階であることが気になる」と言っているので、④も正しくない。

4）対話文を聞いて、その内容と一致するものを①～④の中から1つ選んでください。　　　　　16

남 : 와, 우리 은지 벌써 결혼식 날도 잡고 다 컸네.

여 : 삼촌 눈에는 아직도 제가 초등학생 같죠?

남 : 결혼식이 12월이라고? 근데 신랑 얼굴은 언제 보여줄 건데?

여 : 9월 중순쯤은 어떠세요?

解　答

［日本語訳］

男：わー、ウンジ、もう結婚式の日も決めて、すっかり大人にな
　　ったね。

女：おじさんの目にはまだ私が小学生に見えるんでしょ？

男：結婚式が12月だって？　ところで、新郎の顔はいつ見せてく
　　れるんだ？

女：9月の中旬頃はどうですか。

① 여자는 이번에 초등학교를 졸업한다.

　　→ 女性は今度、小学校を卒業する。

② 여자는 봄에 결혼식을 하려고 한다.

　　→ 女性は、春に結婚式を挙げようと思っている。

③ 여자는 결혼할 사람을 삼촌 소개로 만났다.

　　→ 女性はおじの紹介で結婚する人に会った。

❹ 여자는 결혼식 전에 삼촌에게 신랑감을 소개할 것이다.

　　→ 女性は結婚式の前におじに新郎候補を紹介するだろう。

第53回 解答

---

5 文章もしくは対話文を聞いて、問いに答える問題です。問題文と選択肢をそれぞれ2回ずつ読みます。解答はマークシートの17番〜20番にマークしてください。次の問題に移るまでの時間は20秒です。

1）文章を聞いて、その主題として最も適切なものを①〜④の中から1つ選んでください。　　　　　　　　　　　　17

　정보 부족으로 많은 사람들이 혜택을 놓치고 있습니다. 매월 마지막 수요일은 '문화의 날'로 문화 시설을 할인 가격 또는 무료로 즐길 수 있지만, 조사 결과 대부분의 사람들은 영화 할인만 되는 줄 알고 있는 것으로 나타났습니다.

[日本語訳]

　情報不足で多くの人々が恩恵を逃しています。毎月最後の水曜日は「文化の日」で文化施設を割引価格、または無料で楽しむことができますが、調査の結果、ほとんどの人は映画の割引だけできるものと思っていることが明らかになりました。

❶ '문화의 날' 혜택 홍보의 필요성
　　→「文化の日」のお得情報周知の必要性
② 부족한 혜택의 지원
　　→ 不足している恩恵の支援

解　答

③ 문화 시설 이용의 무료화

　　→ 文化施設利用の無料化

④ 즐거운 영화 감상

　　→ 楽しい映画鑑賞

Point 本文は情報不足で多くの人々が恩恵を逃していることから、もっと「文化の日」の宣伝が必要であることをアピールしている。①が正答。しかし、「文化の日」に全ての文化施設が無料で利用できるのではなく、割引価格で利用できるものもある。したがって、文化施設利用の無料化とは違うので③は誤答である。ちなみに、혜택は「恵み、恵沢」という意味から「お得、特典」の意味まで広く使われる。動詞받다を付けて혜택을 받다「恵まれる、特典がもらえる」などの意味でよく用いられる。

2）文章を聞いて、ヨガ教室に関する内容と一致するものを①〜
　④の中から1つ選んでください。　　　　　　　　　　18

　처음으로 요가 교실에 오신 여러분, 반갑습니다. 보통은 여성 전용 요가 교실이 많습니다만, 저희 교실은 남성 전용이기 때문에 여성들의 시선을 신경 쓰지 않으시고 편하게 요가에 집중할 수 있습니다.

［日本語訳］

　初めてヨガ教室へお越しになられた皆様、お会いできて嬉しいです。普通は女性専用のヨガ教室が多いですが、私共の教室は男性専用であるため女性たちの視線を気になさらず、気楽にヨガに集中することができます。

① 여기는 여성만을 위한 요가 교실이다.

　　→ ここは女性のためのヨガ教室である。

② 요가를 하면 여성들의 시선을 끌 수 있다.

　　→ ヨガをすると、女性たちの視線を引くことができる。

③ 이 요가 수업은 이전부터 참가해 온 사람을 위한 것이다.

　　→ このヨガの授業は前から参加してきた人向けのものである。

❹ 여성과 같이 하는 요가 수업을 불편해 하는 남자들도 있다.

　　→ 女性と一緒にするヨガの授業を気まずく思う男性たちもいる。

3）対話文を聞いて、その内容と一致するものを①～④の中から 1つ選んでください。　　　　　　　　　　19

남 : 여보, 더운데 에어컨 좀 켜지 그래? 도저히 못 자겠어.

여 : 밤새 에어컨 틀고 자면 전기 요금이 많이 나오는 거 몰라요?

남 : 하지만 이대로 자면 병이 난다고.

여 : 덥기는 얼마나 덥다고요. 그냥 참고 자요.

[日本語訳]

男 : あのさ、暑いから、ちょっとエアコン付けない？　とてもじゃないけど寝れないよ。

女 : 一晩中エアコンを付けて寝たら、電気代が高くつくってこと、分からないの？

解　答

男：だけど、このまま寝たら病気になるって。

女：暑いったって、大したことないわよ。我慢して寝なさいよ。

① 여자는 에어컨을 틀고 자면 몸에 좋지 않다고 생각한다.

→ 女性はエアコンを付けて寝ると、体に良くないと思っている。

② 여자는 어쩔 수 없이 에어컨을 켰다.

→ 女性は仕方なく、エアコンを付けた。

❸ 남자는 더위로 괴로워하고 있다.

→ 男性は暑さで苦しんでいる。

④ 밤새 에어컨을 켜서 전기 요금이 많이 나왔다.

→ 一晩中エアコンを付けて、電気料金が高くついた。

Point 男性の도저히 못 자겠어「とてもじゃないけど寝れないよ」のセリフから③が正答となる。도저히は안、못、없다などの否定表現と共に「どうしても、とても、到底（〜ない）」の意味で使われる。女性は、「電気代が高くつくってこと、分からないの?」という発言から、エアコンを付けない理由として金銭的な問題を心配していることが見て取れる。よって①は違う。誤答の④の덥기는 얼마나 덥다고요は、-기는 얼마나 -다고요の形で、「どれぐらい暑いと言っているのですか」という反語的な表現で「暑いったって、大したことないわよ」という意味を表している。

4) 対話文を聞いて、薬に関する情報と一致するものを①〜④の中から１つ選んでください。　20

남：박사님께서 개발 중인 신약으로 치료하면 환자 수를 절반으로 줄일 수 있단 말씀이시죠?

여 : 아직은 시험 단계입니다만, 그렇게 기대하고 있습니다.

남 : 빠른 시일 내에 완성되면 좋겠습니다.

여 : 네, 밤낮으로 최선을 다하고 있는 중입니다.

[日本語訳]

男 : 博士が開発中の新薬で治療すれば、患者の数を半分に減らすことができるということですね。

女 : まだ試験段階ですが、そのように期待しています。

男 : 早いうちに、完成したらいいですね。

女 : はい、昼夜問わず最善を尽くしているところです。

① 여자가 개발한 약은 널리 치료에 쓰이고 있다.
　→ 女性が開発した薬は、広く治療に使われている。

② 신약의 안전성에 대해 논의하고 있다.
　→ 新薬の安全性について議論している。

③ 곧 반값에 신약을 살 수 있게 된다.
　→ 間もなく、半値で新薬を買うことができるようになる。

❹ 신약 개발이 성공하면 환자 수 감소가 기대된다.
　→ 新薬の開発が成功すれば、患者数の減少が期待できる。

解　答　（＊白ヌキ数字が正答番号）

筆記 問題と解答

1 下線部を発音どおり表記したものを①〜④の中から1つ選びなさい。

1）피곤해서 <u>옷 입은</u> 채로 잤다.　　　　　　　　|1|

→ 疲れて<u>服を着た</u>まま寝た。

　① ［옹이븐］　② ［오시븐］　❸ ［온니븐］　④ ［오디믄］

Point ㄴ音の挿入とそれによる鼻音化の問題である。前の語の最後にパッチムがあり、その直後に이、야、여、요、유が来ると、これらの母音の前に ㄴ の音が挿入され、니、냐、녀、뇨、뉴という発音になる。したがって［옫니븐］になるが、さらに옫が後の ㄴ の影響により鼻音化して［온］となるので、最終的に［온니븐］となる。正答は③である。

2）<u>볼일이</u> 있어서 먼저 가 보겠습니다.　　　　　　|2|

→ <u>用事が</u>あるので先に帰ります。

　① ［본니리］　② ［보리리］　③ ［보니리］　❹ ［볼리리］

解 答

2 (　　　)の中に入れるのに最も適切なものを①〜④の中から
1つ選びなさい。

1) 기부를 통해서 사랑의 (　3　) 이어지고 있다.

→ 寄付を通して愛の(　3　)広がっている。

① 손가락질이　→ 後ろ指が　　② 온도가　→ 温度が

❸ 손길이　　　→ 手が　　　　④ 매가　→ 鞭が

Point ①の손길は、「(差し出す)手」、「(手助けや救いの)手」の意味である。
이어지다は「繋がる、続く」という意味だが、ここでは絶えずに続く
ということから「広がる」の意味として理解できる。誤答の①손가락
질は、指差しのことで、하다、받다と組み合わせて손가락질을 하다
「後ろ指を指す」、손가락질을 받다「後ろ指を指される」のように否
定的な意味で使われる。

2) 그의 말이 귀에 (　4　) 참을 수가 없었다.

→ 彼の言葉が耳に(　4　)我慢することができなかった。

❶ 거슬려서　→ 障って　　　② 경쾌해서　→ 軽快で

③ 비참해서　→ 悲惨で　　　④ 부드러워서　→ 柔くて

Point 連語の問題。①の거슬리다は、귀에 거슬리다「耳に障る」や눈에 거
슬리다「目に障る」のようにも使う。

3) 학자들은 식사도 안 하고 (　5　) 유적지로 발걸음을
옮겼다.

→ 学者たちは食事もせず(　5　)遺跡地へ足を運んだ。

解 答

① 결코　→ 決して　　❷ 곧장　　→ すぐ

③ 불쑥　→ 突然　　④ 도무지　→ まったく

Point 副詞の問題。正答②の곧장は、時間的な意味の「すぐ」と空間的な「まっすぐ」という両方の意味がある。後者の場合は、똑바로と置き換えられる。③の불쑥は、사람이 불쑥 튀어나오다「人が突然飛び出してくる」のように「当然何かが突き出たり、現れたりする様」を表す。

4) A : 학생들이 수업 때 그렇게 떠들었다며?

　　B : 너무 시끄러워서 내가 교탁을 세게 치니까 다들
　　　　 (　6　) 조용해지더라.

→ A : 学生たちが授業のとき、ものすごく騒いでいたんだって?
　 B : あまりにもうるさくて私が教卓を強く叩くとみんな(　6　)
　　　 静かになったよ。

① 심장이 강한 듯이

　　→ 度胸があるように【直訳：心臓が強いように】

② 물 만난 고기처럼

　　→ 水を得た魚のように【直訳：水と出会った魚のように】

③ 산이 떠나갈 듯

　　→ 非常にうるさく【直訳：山が行き去るように】

❹ 쥐 죽은 듯이

　　→ 水を打ったように【直訳：ネズミが死んだように】

第53回 解答

5) A : 친구 결혼식인데 청바지로 가는 건 실례일까요?

    B : 아무리 친구 결혼식이라고 해도 (　7　) 양복을 입는 게 좋을 것 같은데요.

    A : 제가 여름 양복이 없어서요.

→ A : 友達の結婚式だけど、ジーンズ姿で行くのは失礼ですかね。

    B : いくら友達の結婚式だと言っても(　7　)スーツを着るのが良さそうですけど。

    A : 私は夏用のスーツがなくて。

❶ 점잖은 자리에 맞게　　→ かしこまった席に合わせて

② 트집을 잡고　　→ ケチをつけて

③ 자리를 만들어서　　→ 席を設けて

④ 속이 시원하게　　→ スッキリするように

6) A : 경쟁사에서 비슷한 제품을 더 싼 가격으로 판매한다고 합니다.

    B : 이렇게 (　8　) 당하고만 있을 겁니까?

    A : 안 그래도 대책 회의를 열려던 참입니다.

→ A : ライバル会社から似通った製品をもっと安い値段で販売するらしいです。

    B : こんなに(　8　)やられっぱなしでいるつもりですか。

    A : そうでなくても対策会議を開こうと思っていたところです。

① 일석이조로　　→ 一石二鳥で

❷ 속수무책으로　　→ 手をこまねいていて

③ 과대망상으로　　→ 誇大妄想で

解　答

④ 시기상조로　　→ 時期尚早で

Point 四字熟語を選ぶ問題。Bの「やられっぱなしでいるつもりですか。」という発言からして②の속수무책으로「手をこまねいていて(どうすることもできずに)」がふさわしく、正答となる。

3 (　　　)の中に入れるのに適切なものを①～④の中から1つ選びなさい。

1) 남이 버린 옷을 입는다는 것은 나에게는 (　9　) 할 수 없는 일이다.

→ 他人が捨てた服を着るということは私には(　9　)できないことである。

① 생각만큼　→ 思うほど

② 생각이나　→ 考えや

❸ 생각조차　→ 考えることすら

④ 생각마저　→ 考えさえ

Point 助詞を選ぶ問題。正答の③の조차は、「～すら、～さえ」という意味の助詞である。생각조차に否定副詞안や못、または不可能表現の-(으)ㄹ 수 없다を付けて使う。생각조차 할 수 없다の直訳は、「考えさえできない」で、「考えることすらできない」という意味。本文においては「他人が捨てた服を着ない」ということは当然のことであるというニュアンスを持つ。④の마저「～さえ、～まで」との違いは、마저は「望ましくないものの追加」や「最後のものまでも」の意味。

2）사소한 （ 　10　 ） 나중에 우리 사업의 발목을 잡을 수도 있다.

　→ 小さい（ 　10　 ）後で私たちの事業において問題となるかもしれない。

① 문제이듯이　　→ 問題であるように

② 문제이더니　　→ 問題だったが

❸ 문제일지라도　→ 問題であっても

④ 문제이길래　　→ 問題なので

3）내 꿈을 （ 　11　 ） 이 정도 투자는 아깝지 않다.

　→ 私の夢を（ 　11　 ）この程度の投資は惜しくない。

❶ 이룰 수 있다면야　　→ 叶えられるのなら

② 이룰 수 있으리라고　→ 叶えられるだろうと

③ 이룰 수 있다든지　　→ 叶えられるとか

④ 이룰 수 있더라도　　→ 叶えられるとしても

Point 語尾を選ぶ問題。正答の①の–다면야は、–다면の後ろに야が付いて強調の意味を表す。前節の「夢が叶うということのためならば」を強調する意味。誤答の④の–더라도は、「～しても、～したとしても」の意味で、先行する内容を認めるが、後続する内容は異なる場合に使われて、ネガティブなニュアンスを持つ。

4）이 강의는 （ 　12　 ） 감점을 받는다.

　→ この講義は（ 　12　 ）減点される。

解 答

① 지각하기라도 한 듯　→　遅刻でもしたかのように

② 지각하는 데다가　　→　遅刻する上に

③ 지각하는 식으로　　→　遅刻する形で

❹ 지각한 만큼　　　　→　遅刻した分だけ

Point 語尾を選ぶ問題。만큼は、「～だけ、～くらい、～程度」の意味を表す。正答の④は、過去連体形と共に「～した分だけ」の意味。遅刻した回数だけ、減点されるという意味として用いられている。誤答の②の－는 데다가は、先行する内容や情報に追加して後続内容を述べるときに使う。先行する内容が肯定的であるか否定的であるかによって、後続の内容も肯定的か否定的な内容になる。

5）A：모처럼 손님들을 초대했는데 맛없으면 어떡하죠?

　B：신선한 재료를 구했으니 요리의 반은 （　**13**　）

→ A：せっかくお客さんを招待したんですが、おいしくなかったらどうしましょう。

　B：新鮮な材料を手に入れたから料理の半分は（　**13**　）

① 성공할 듯 말 듯해요.

　→ 成功できそうでできなさそうです。

❷ 성공한 셈이에요.

　→ 成功したようなものです。

③ 성공할 틈도 없어요.

　→ 成功する暇もありません。

④ 성공할 뻔했어요.

　→ 成功するところでした。

Point 料理の味を心配する人に新鮮な材料を手に入れたということを根

157

第53回　解答

拠に話していることから、後続する内容は相手を安心させることば
が来ると自然である。料理で新鮮な材料は重要であることから、料
理の半分は成功したのも同然だという内容を表す②が正答。未来連
体形－(으)ㄹ＋셈이다にすると、「～(する)つもりだ」の意味になる。
誤答の①の－(으)ㄹ 듯 말 듯하다は、「～するのか～しないのか」
というはっきりしない様子を表す。④の－(으)ㄹ 뻔했다は、否定的
な状況になりそうだったが、実際にはそうならなかったという「～
するところだった」の意味。(④はおかしな表現と言える)

6) A：지난 겨울에 한국에 갔다 오셨다면서요? 어땠어요?

   B：(　14　)

   A：한국의 겨울은 처음이셨죠? 고생하셨어요.

   → A：去年の冬、韓国に行ってきたとお聞きましたが、どうでしたか。

   B：(　14　)

   A：韓国の冬は初めてでしたよね。お疲れ様でした。

❶ 얼마나 추웠는지 몰라요.

   → ものすごく寒かったです。

② 추울 것만 같았어요.

   → 寒いような気がしました。

③ 춥단 말이에요?

   → 寒いということですか。

④ 춥기 마련이었어요.

   → 寒いに決まっていました。

Point 얼마나 {-(으)ㄴ/는}지 모르다、または、過去形の얼마나 {-았/
었는}지 모르다は、「どれくらい～か知らない」という反語表現(言
いたいことと反対の内容を疑問形で言う表現。断定を強めるために

解　答

用いる)で、「ものすごく〜」という意味を表す。②の추울 것만 같았
어요は「寒いような気がしました」と推測の意味を表すので誤答で
ある。④の-기 마련이다は、「〜するのが当然である」という意味で
多くの人から共感を得られるような場合に使う。やはり、対話文の
流れからは不自然である。

4 次の文の意味を変えずに、下線部の言葉と置き換えが可能な
ものを①〜④の中から１つ選びなさい。

1) 그 아이는 한 번 가르쳐 주면 곧잘 따라 한다.　　**15**
　　→ その子は一度教えてあげると、すぐ真似る。

　　① 조용히　　→ 静かに　　　❷ 제법 잘　　→ かなり上手に
　　③ 그제서야　→ やっと　　　④ 떠듬떠듬　→ たどたどしく

Point 곧잘は、제법のように「かなり(よく)、なかなか(よく)」という意味
もあるが、자주「頻繁に」の意味でも使われる。곧잘 잊어버린다「よ
く物忘れをする」。

2) 입술을 깨물며 울음을 삼켰다.　　**16**
　　→ 唇を噛みながら涙をこらえた。

　　① 울기 시작했다　→ 泣き始めた
　　② 눈물을 흘렸다　→ 涙を流した
　　❸ 울음을 참았다　→ 泣くのをこらえた
　　④ 울음을 터뜨렸다　→ 泣き出した

Point 正答は③の울음을 참았다である。삼키다と참다は、それぞれ「飲み込む」、「我慢する」という意味である、울음을 삼키다は慣用句で、「涙をこらえる」という意味を表す。

3) 언제까지나 비밀이 <u>지켜질 것이라는</u> 보장은 없다.　　17

　　→ いつまでも秘密が<u>守られるという</u>保証はない。

　① 지켜지는 것과 다름없다

　　　→ 守られるのと同じだ

　② 지켜지도록 해야 한다

　　　→ 守られるようにしなければならない

　③ 지켜질 듯싶다

　　　→ 守られるだろう

　❹ 지켜지리라는 법은 없다

　　　→ 守られるということはない

4) 그 사람은 <u>의심스러운 눈치를 보이면서도</u> 관심은 있는 듯했다.　　18

　　→ その人は<u>不審な様子を見せながらも</u>、関心はあるみたいだった。

　❶ 반신반의하면서도　　　　→ 半信半疑でありながら

　② 비몽사몽 하면서도　　　　→ 夢うつつの状態でも

　③ 심사숙고 끝에　　　　　　→ 深く考えた末に

　④ 생사고락을 같이 한 끝에　→ 生死と苦楽を共にした末に

160

解 答

5）A : 어머니, 아버지에게 술 좀 적당히 드시라고 말씀 좀
　　　하세요.

　　B : 내가 말해 봤자 네 아버지가 들을 것 같냐?　　19

　→ A : お母さん、お父さんにちょっと酒をほどほどに飲むように言っ
　　　　てくださいよ。

　　B : 私が言ったところで、お父さんが聞くと思う？

① 도토리 키재기지.　　　　→ どんぐりの背比べだよ。

② 그 아버지에 그 아들이지.　→ この親にしてこの子ありだよ。

❸ 쇠귀에 경 읽기지.　　　　→ 馬の耳に念仏だよ。

④ 불난 집에 부채질하기지.　→ 火に油を注ぐのと同じだよ。

Point ことわざを選ぶ問題。下線のところの네 아버지가 들을 것 같냐？
は、反語的な表現で「言っても無駄である」ということを含意してい
る。したがって、正答は③の쇠귀에 경 읽기である。쇠は소의「牛の」
という意味で、直訳は「牛の耳にお経を読むこと」「馬の耳に念仏」と
同じ意味。

5 すべての（　　）の中に入れることができるもの（用言は適
当な活用形に変えてよい）を①～④の中から１つ選びなさい。

1）・시민들은 선거에서 그 후보의 (손)을 들어 줬다.
　　→ 市民たちは選挙でその候補の(手)を挙げてくれた。

　・잡채는 (손)이 많이 가는 음식이에요.
　　→ チャプチェは(手間)がたくさんかかる料理です。

・다시 만날 날을 (손)꼽아 기다리고 있다.　　　[20]

　→ 再び会う日を(指)折り数えながら待っている。

① 부탁　→ 頼み　　　　② 손가락　→ 指

❸ 손　　→ 手　　　　　④ 편　　　　→ 方

2)　・잘못 (든) 버릇은 나중에 고치기 어렵다.

　　→ うっかり(ついた)癖は後で直しにくい。

　・아들 걱정에 결국 병이 (들고) 말았다.

　　→ 息子の心配で結局病気に(かかって)しまった。

　・고개를 (들어) 당당하게 말을 했다.　　　　[21]

　　→ 顔を(上げて)堂々と話をした。

① 나다　　→ 出る　　　② 생기다　→ 出来る

③ 숙이다　→ 下げる　　 ❹ 들다　　→ 入る ; 上げる

Point 最初の文では、(버릇이) 들다と생기다が可能で、「癖がつく」の意味。二番目の文では、(병이) 들다の他にな다、생기다も可で「病気になる」の意味。最後の文では、(고개를) 들다「(頭を)上げる」しか使えない。3つの条件を満たすのは④だけである。

3)　・저는 커피에 설탕 대신 꿀을 (타요).

　　→ 私はコーヒーに砂糖の代わりに蜂蜜を(入れます)。

　・첫 월급을 (타면) 뭐 할 거예요?

　　→ 初任給を(もらったら)何をするつもりですか。

解 答

・저는 더위를 많이 (타서) 여름을 싫어해요.　　　22

→ 私はとても暑(がりなので)夏が嫌いです。

❶ 타다　→ 入れる；もらう；乗る；焼ける；弾く

② 넣다　→ 入れる

③ 받다　→ もらう

④ 먹다　→ 食べる

Point 타다는、「乗る」という意味の他にも월급을 타다「給料をもらう」、{더위／추위}를 타다のように慣用句として「暑がる」、「寒がる」の意味でも使われる。また、「液体などに何かを入れる、混ぜる、割る」という意味で커피를 타다「コーヒーを入れる」とも使われる。넣다は最初の文に、받다は二番目の文に、먹다は最後の文にいれることができる。더위를 먹다で「夏バテする」という慣用句。

6 対話文を完成させるのに最も適切なものを①〜④の中から1つ選びなさい。

1) A：저는 해외 영업 담당을 맡고 있어요.

B：그럼 출장이 많을 거 같은데 부담 안 되세요?

A：(　23　) 그래도 제 일인데 최선을 다해야죠.

→ A：私は海外営業の担当なんです。

B：では、出張が多いと思いますが、負担にならないですか。

A：(　23　)でも、自分の仕事だから最善を尽くすべきですね。

第53回 解答

① 늦게까지 일해 본 사람이 없을걸요.

→ 遅くまで働いてみた人がいないと思います。

② 출장은 가나 마나예요.

→ 出張は行っても行かなくても同じです。

③ 부담이 되기는 뭐가 부담이 돼요?

→ 全然負担になりませんよ。

❹ 왜 부담이 안 되겠어요?

→ もちろん負担になりますよ。

Point 対話文中の「負担にならないですか」という質問に「でも、自分の仕事だから最善を尽くすべきですね」と答えていることから、「重荷に感じる」ということを一応認めるような内容が来れば自然である。したがって、④が正答である。왜 부담이 안 되겠어요?は反語表現。直訳は「なぜ負担になりませんか」で、「当然負担になる」を強調する言い方。誤答の②の‐(으)나 마나は、何かをしてもしなくても結果は変わらない、というときに用いる表現である。

2) A : 네가 좋아하는 먹을 거랑 돈 좀 챙겨서 가방에 넣었다.

　 B : 엄마, (　 24 　)

　 A : 어떻게 그냥 널 보내겠니? 혼자서 유학 생활 하는 게
　　　 얼마나 힘든데.

→ A : あなたが好きな食べ物とちょっとお金も用意してカバンに入れ
　　　 たわよ。

　 B : お母さん、(　24　)

　 A : 何もせずに、あなたを送り出すなんてできないでしょ？　単身
　　　 での留学生活がどんなに大変かって。

解 答

① 번거롭게 들고 다니지 마세요.

→ 面倒くさくして持ち歩かないでください。

② 누가 우리 엄마 힘들게 하는 거야?

→ 誰がお母さんを苦しめているの?

❸ 매번 그러지 마세요. 나도 이제 다 컸어요.

→ 毎回そんなことしないでくださいよ。私ももう大人なんですよ。

④ 잘 먹을게요. 부디 조심히 가세요.

→ いただきます。どうか気をつけてお帰りください。

3) A : 상수 씨 얼굴 표정이 왜 저렇게 어두워 보여요?

B : 이번에 회사 내 영어 시험에 떨어져서 승진 기회를 놓
쳐 버렸대요.

A : (　25　)

B : 그보다 지금은 어쩌면 혼자 내버려 두는 게 나을 수도
있어요.

→ A : サンスさんの顔の表情がなんであんなに暗く見えるんですか。

B : 今回、社内の英語試験に落ちて、昇進の機会を逃してしまった
そうです。

A : (　25　)

B : それより今はもしかしたら一人で放っておくのがいいかもしれ
ません。

① 제 실력을 발휘 못한 모양이네요.

→ 自分の実力を発揮できなかったみたいですね。

② 영어 시험 말고는 잘 본 게 없대요.

　→ 英語の試験の他にはうまくできたのがないそうです。

❸ 우리가 위로라도 해 줘야 하는 거 아니에요?

　→ 私たちがなぐさめてあげるべきじゃないですか。

④ 혼자만의 시간을 갖는 게 좋지 않을까요?

　→ 一人だけの時間を持つのがいいんじゃないですかね。

7 下線部の漢字と同じハングルで表記されるものを①～④の中から１つ選びなさい。

1）反省　→　반성 　　　　　　　　　　　　　26

　　① 精　→ 정　❷ 誠　→ 성　③ 請　→ 청　④ 政　→ 정

2）銅銭　→　동전 　　　　　　　　　　　　　27

　　① 存　→ 존　② 準　→ 준　③ 障　→ 장　❹ 典　→ 전

Point 誤答の①や③は、それぞれ존〈存〉と장〈障〉と読む。①の〈存〉が付く単語には、존재〈存在〉、의존〈依存〉などがある。③の〈障〉は、고장〈故障〉、지장〈支障〉などと用いられる。ちなみに、동전は「コイン」の意味。正答は④の〈典〉で、사전〈辞典〉、고전〈古典〉などの単語がある。

3）減少　→　감소 　　　　　　　　　　　　　28

解 答

❶ 鑑 → 감　②看 → 간　③関 → 관　④講 → 강

8 文章を読んで【問1】～【問2】に答えなさい。

　　올해 8 월부터 서울시에서 행해지는 '플라스틱 컵' 사용 금지법에 대해서 시민들 사이에 찬반* 논쟁이 벌어지고 있습니다. 가게 내에서 음료를 마실 때는 플라스틱 컵을 쓸 수 없다는 규정인데요. 환경을 보호한다는 점에서 환영하는 사람들도 있는 반면에 불만의 목소리를 내는 사람들도 있습니다. 그 이유는 가게 입장에서 플라스틱 컵 대신에 머그컵*이나 유리컵을 이용할 시 설거지에 대한 부담이 커지기 때문이라고 합니다. 또한 소비자 입장에서는 "그럼 마시다가 나가고 싶은 사람은 어떡하냐!?" 라는 의견도 있었습니다. 하지만 환경을 위해서는 우리 모두의 적극적인 협조가 필요할 것입니다.

　*) 찬반 : 賛成と反対、머그컵 : マグカップ

［日本語訳］

　　今年の8月からソウル市で行われる「プラスチックカップ」使用禁止法について市民の間で賛否両論が巻き起こっています。店内で飲み物を飲む時は、プラスチックカップを使うことができないという規定です。環境を保護する点で歓迎する人々もいる反面、不満の声を出す人々もいます。その理由は店の立場では、プラス

チックカップの代わりにマグカップやグラスを利用するとき、食器洗いの負担が大きくなるからだと言います。また、消費者の立場からは「では、飲んでいる途中で外に出たい人はどうすればいいの!?」という意見もありました。でも、環境のためには私たちみんなの積極的な協力が必要だと思います。

【問1】　本文のタイトルとして最も適切なものを①〜④の中から1つ選びなさい。　　29

① 날로 더해가는 머그컵 사용에 대한 수요
　→ 日ごとに増していくマグカップ使用に対する需要
② 유리컵을 깨끗이 쓰려면
　→ グラスをきれいに使うには
❸ 플라스틱 컵 사용에 대한 대립 의견
　→ プラスチックカップ使用に関する対立する意見
④ 카페의 새로운 판매 전략
　→ カフェの新しい販売戦略

【問2】　プラスチックカップの使用に関する内容と一致するものを①〜④の中から1つ選びなさい。　　30

① 원하는 사람에 한해서는 플라스틱 컵이 제공된다.
　→ ほしい人に限り、プラスチックカップが提供される。

解　答

❷ 매장 내 이용 금지에 대해 불만인 사람들도 있다.
　→ 店内での利用禁止に対して不満を持つ人々もいる。

③ 모든 시민들이 플라스틱 컵 사용을 삼가고 있다.
　→ 全ての市民がプラスチックカップの使用を控えている。

④ 이번 정책에 대해서 옳다고 생각하는 사람들이 대부분
이다.
　→ 今回の政策について正しいと思う人がほとんどである。

9 対話文を読んで【問1】～【問2】に答えなさい。

여 : 내가 기가 막혀서, 정말.

남 : 왜 그래? 쇼핑 가서 무슨 일 있었어?

여 : 옷을 두 벌 사면 한 벌은 반값이라고 했는데 계산하려 하
니까 20%밖에 싸게 안 해 주는 거예요.

남 : 싸다고 해서 일부러 거기까지 간 거잖아. 그래서 안 사고
그냥 온 거야?

여 : 살 리가 있어요? 화가 나서 따졌더니 광고 글 밑에 작은
글씨로 '신상품 제외'라고 쓰여 있으니 문제될 게 없다고
주장하는 거예요.

남 : 제대로 확인 안 한 당신 책임도 있겠지만, 소비자의 심리
를 노리는 판매 전략이네.

여 : 이건 소비자를 속이는 행위라고요! 그럴 거라면 크게 써
놓았어야죠.

[日本語訳]

女：本当に、まったく！

男：どうしたの。買い物行って何かあったの？

女：服を2着買うと1着は半額だと言ってたのに、会計しようとしたら20％しか安くならなかったのよ。

男：安いと言うから、わざわざそこまで行ったんじゃないか。それで何も買わずに帰ってきたの？

女：買うわけないでしょう。腹が立って問い詰めたら、広告文の下に小さい字で「新商品を除く」と書いてあるから問題になることはないと言い張るのよ。

男：ちゃんと確認しなかった君の責任もあるだろうけど、消費者の心理を狙う販売戦略だね。

女：これは消費者を騙す行為よ！　だったら、大きく書いておくべきだったのよ。

【問1】　女性が怒っている理由として最も適切なものを①〜④の中から1つ選びなさい。　　31

① 결제 조건이 까다로워서
　　→ 決済条件が難しくて
❷ 광고 방식에 불만이 있어서
　　→ 広告のやり方に不満があって
③ 상품 표기가 잘못 돼서
　　→ 商品の表記が間違っていて

解 答

④ 다른 상품이 제공돼서

→ 他の商品が提供されて

【問2】 対話文の内容と一致しないものを①～④の中から１つ選びなさい。　32

① 여자는 판매 방법에 문제 제기를 하고 있다.

→ 女性は販売方法に問題提起をしている。

② 여자는 반값인 줄 알고 옷을 사려고 했다.

→ 女性は半額だと思って服を買おうとした。

③ 남자는 여자에게도 잘못이 있다고 생각한다.

→ 男性は女性にも落ち度があると思っている。

❹ 여자는 신상품을 20% 싸게 샀다.

→ 女性は新商品を20%安く買った。

10 文章を読んで【問1】～【問2】に答えなさい。

　등하교 버스에서 좋아하는 여자 애가 타면 괜히 마음이 두근거리고 교복 깃을 한 번 더 만지곤 했던 고교 시절. 말 한 마디 걸지 못하는 숙맥*이었지만 그저 같은 공간에 있는 것만으로도 기분이 좋았다. 같은 동네에 살고 있다는 것을 알고부터는 그녀의 작은 행동 하나에도 의미를 찾고 분석했다. 그녀를 (33) 내 부족함이 더 커 보이기도 했다. 결국은 이루지 못한 사랑으로 남아 아직도 생각하면 가슴이 쓰리다. 사람들은 이런 사랑을 풋사랑*이라고들 한다지만 그 자체만으로도 ㉞<u>아름다웠던</u> 그때 그 시절이었다.

　*) 숙맥：おくて、풋사랑：淡い恋

[**日本語訳**]

　登下校のバスで好きな女の子が乗ると、なぜか心がときめき、制服の襟をもう一度正していた高校時代。一言も声をかけられない奥手だったが、ただ同じ空間にいるだけでも嬉しかった。同じ町に住んでいることを知ってからは、彼女の小さい行動一つにも意味を探って分析した。彼女を（　**33**　）僕に足りないものがより大きく見えたりもした。結局は叶わない恋となり、今も思い出すとつらい。人はこういう恋を「淡い恋」だと言うそうだが、それだけでも㉞<u>美しかった</u>あの時、あの頃だった。

【問1】　（　**33**　）に入れるのに<u>適切でないもの</u>を①～④の中から1つ選びなさい。　　　　　　　　　　**33**

　① 좋아함으로 인해　→ 好きなことによって
　② 좋아함으로써　　→ 好きなことで
　❸ 좋아하려고 해도　→ 好きになろうとしても
　④ 좋아하다 보니　　→ 好きになってみると

解 答

【問２】 筆者が高校時代を34아름다웠던と表現した理由を①～④
の中から１つ選びなさい。　　　　　　　　　　34

❶ 순수했으니까　　　→ 純粋だったから

② 용기가 있었으니까　→ 勇気があったから

③ 겁이 없었으니까　　→ 怖いもの知らずだったから

④ 외로웠으니까　　　→ 寂しかったから

11 下線部の日本語訳として適切なものを①～④の中から１つ選
びなさい。

１) 듣기 좋으라고 하는 소리인 줄은 알지만 기분은 좋네요.
　→ お世辞だとは知っているけど、気分はいいですね。　　35

① 耳に優しい音

② きちんと聴きなさいという意味

③ 聞き取りやすい声

❹ お世辞

２) 피해자와의 합의를 이끌어 낸다 치더라도 그 다음이 문제
이다.　　　　　　　　　　　　　　　　　　　　36
　→ 被害者との示談を取り付けたとしても、その次が問題だ。

① 引きずり出すと言っても
❷ 取り付けたとしても
③ おびき出して殴っても
④ 導き出すことに成功すれば

3) 엉덩이가 쑤셔서 <u>가만히 앉아 있을 수가 있어야지요.</u>　37

　→ お尻がムズムズして<u>じっと座っていることは到底無理です。</u>

❶ じっと座っていることは到底無理です。
② 静かに座ることができないといけません。
③ おとなしく座っていなければなりません。
④ まったく立っていられませんよね。

Point　正答は①である。가만히「じっと、おとなしく」に－(으)ㄹ 수(가) 있어야지が付いて反語的に「到底じっと座っていられない」という意味を表す。原因として－아/어서の内容が先行する。使い方としては、너무 추워서 밥을 먹을 수가 있어야지요「寒過ぎてご飯を食べることができないです」、저 애가 너무 잘생겨서 공부에 집중을 할 수가 있어야지「あの子があまりにもハンサムで勉強に集中できないよ」のように否定的なニュアンスで使われる。

解 答

12 下線部の訳として適切なものを①～④の中から１つ選びなさい。

1）別れた人の話をされても、<u>俺の知ったことじゃない。</u>　38

→ 헤어진 사람 얘기를 해도 <u>내가 알 게 뭐야.</u>

① 내가 알 만할까?

→ 俺に分かるかな。

❷ 내가 알 게 뭐야.

→ 俺の知ったことじゃない。

③ 내가 알 텐데.

→ 俺が知っているはずだけど。

④ 내가 알려면 멀었어.

→ 俺が知るにはほど遠いよ。

2）<u>家が古いからか手入れするところ</u>がたくさんありましたよ。

→ <u>집이 오래돼서 그런지 손볼 데</u>가 많이 있었어요.　39

① 집이 오래되었기 때문에 손때가 묻은 곳

→ 家が古くなったので手あかがついているところ

❷ 집이 오래돼서 그런지 손볼 데

→ 家が古いからか手入れするところ

③ 집이 낡다 보니까 손을 넣는 곳

→ 家が古いものだから、手を入れるところ

175

④ 헌 집이라서 새로 지어야 할 때

　　→ 古い家なので、建て替えの時期

Point　「手入れする」は、손질하다があるが、「手入れする、修正する」という意味の慣用句として손(을) 보다もある。正答は②。③の손을 넣는は文字通り「手を(中に)入れる」の意味。なお、「古い」は오래되다や낡다という。오래되다が時間が結構経ったことで「古い」という意味を表しているとすれば、낡다は、「古ぼける」の意味が強い。오래된 옷「(時間的に)古い服」、낡은 옷「古ぼけた服、古くなってくたびれた服」。

3) 初めからやらなかったならともかく、今さらできないとは言えない。　　　　　　　　　　　　　　　　　　　　　　　　40

　　→ 처음부터 안 했다면 모를까 이제 와서 못한다고는 할 수 없다.

① 나중에 못 하는 한이 있어도

　　→ あとでできないはめになっても

② 처음부터 안 한다고 하면 어쨌든

　　→ 初めからやらないと言えば、とにかく

❸ 처음부터 안 했다면 모를까

　　→ 初めからやらなかったならともかく

④ 시작부터 못 한다 할지라도

　　→ 初めからできないとしても

Point　正答は、③である。- 았/었다면 모를까の直訳は、「～したとすれば、(まだ)分からないが」という意味。先行する内容の通りであればいいが、実際にはそうはならなかったという意味を表す。後続する内容の実現には「もう遅い」、「適切ではない」のような意味の表現が続く。

準2級聞きとり 正答と配点

●40点満点

問題	設問	マークシート番号	正　答	配　点
1	1)	1	②	2
	2)	2	③	2
	3)	3	①	2
	4)	4	④	2
2	1)	5	③	2
	2)	6	③	2
	3)	7	④	2
	4)	8	①	2
3	1)	9	③	2
	2)	10	①	2
	3)	11	③	2
	4)	12	②	2
4	1)	13	②	2
	2)	14	①	2
	3)	15	②	2
	4)	16	④	2
5	1)	17	①	2
	2)	18	④	2
	3)	19	③	2
	4)	20	④	2
合　計				40

準2級筆記　正答と配点

●60点満点

問題	設問	マークシート番号	正答	配点
1	1)	1	③	2
	2)	2	④	2
2	1)	3	③	1
	2)	4	①	1
	3)	5	②	1
	4)	6	④	1
	5)	7	①	1
	6)	8	②	1
3	1)	9	③	1
	2)	10	③	1
	3)	11	①	1
	4)	12	④	1
	5)	13	②	1
	6)	14	①	1
4	1)	15	②	1
	2)	16	③	1
	3)	17	④	1
	4)	18	①	1
	5)	19	③	1
5	1)	20	③	2
	2)	21	④	2
	3)	22	①	2

問題	設問	マークシート番号	正答	配点
6	1)	23	④	2
	2)	24	③	2
	3)	25	③	2
7	1)	26	②	1
	2)	27	④	1
	3)	28	①	1
8	問1	29	③	2
	問2	30	②	2
9	問1	31	②	2
	問2	32	④	2
10	問1	33	③	2
	問2	34	①	2
11	1)	35	④	2
	2)	36	②	2
	3)	37	①	2
12	1)	38	②	2
	2)	39	②	2
	3)	40	③	2
合計				60

반절표(反切表)

母音 子音	【1】ㅏ [a]	【2】ㅑ [ja]	【3】ㅓ [ɔ]	【4】ㅕ [jɔ]	【5】ㅗ [o]	【6】ㅛ [jo]	【7】ㅜ [u]	【8】ㅠ [ju]	【9】ㅡ [ɯ]	【10】ㅣ [i]
【1】ㄱ [k/g]	가	갸	거	겨	고	교	구	규	그	기
【2】ㄴ [n]	나	냐	너	녀	노	뇨	누	뉴	느	니
【3】ㄷ [t/d]	다	댜	더	뎌	도	됴	두	듀	드	디
【4】ㄹ [r/l]	라	랴	러	려	로	료	루	류	르	리
【5】ㅁ [m]	마	먀	머	며	모	묘	무	뮤	므	미
【6】ㅂ [p/b]	바	뱌	버	벼	보	뵤	부	뷰	브	비
【7】ㅅ [s/ʃ]	사	샤	서	셔	소	쇼	수	슈	스	시
【8】ㅇ [無音/ŋ]	아	야	어	여	오	요	우	유	으	이
【9】ㅈ [tʃ/dʒ]	자	쟈	저	져	조	죠	주	쥬	즈	지
【10】ㅊ [tʃʰ]	차	챠	처	쳐	초	쵸	추	츄	츠	치
【11】ㅋ [kʰ]	카	캬	커	켜	코	쿄	쿠	큐	크	키
【12】ㅌ [tʰ]	타	탸	터	텨	토	툐	투	튜	트	티
【13】ㅍ [pʰ]	파	퍄	퍼	펴	포	표	푸	퓨	프	피
【14】ㅎ [h]	하	햐	허	혀	호	효	후	휴	흐	히
【15】ㄲ [ʔk]	까	꺄	꺼	껴	꼬	꾜	꾸	뀨	끄	끼
【16】ㄸ [ʔt]	따	땨	떠	뗘	또	뚀	뚜	뜌	뜨	띠
【17】ㅃ [ʔp]	빠	뺘	뻐	뼈	뽀	뾰	뿌	쀼	쁘	삐
【18】ㅆ [ʔs]	싸	쌰	써	쎠	쏘	쑈	쑤	쓔	쓰	씨
【19】ㅉ [ʔtʃ]	짜	쨔	쩌	쪄	쪼	쬬	쭈	쮸	쯔	찌

【11】	【12】	【13】	【14】	【15】	【16】	【17】	【18】	【19】	【20】	【21】
ㅐ [ɛ]	ㅒ [jɛ]	ㅔ [e]	ㅖ [je]	ㅘ [wa]	ㅙ [wɛ]	ㅚ [we]	ㅝ [wɔ]	ㅞ [we]	ㅟ [wi]	ㅢ [ɯi]
개	걔	게	계	과	괘	괴	궈	궤	귀	긔
내	냬	네	녜	놔	놰	뇌	눠	눼	뉘	늬
대	댸	데	뎨	돠	돼	되	둬	뒈	뒤	듸
래	럐	레	례	롸	뢔	뢰	뤄	뤠	뤼	릐
매	먜	메	몌	뫄	뫠	뫼	뭐	뭬	뮈	믜
배	뱨	베	볘	봐	봬	뵈	붜	붸	뷔	븨
새	섀	세	셰	솨	쇄	쇠	숴	쉐	쉬	싀
애	얘	에	예	와	왜	외	워	웨	위	의
재	쟤	제	졔	좌	좨	죄	줘	줴	쥐	즤
채	챼	체	쳬	촤	쵀	최	춰	췌	취	츼
캐	컈	케	켸	콰	쾌	쾨	쿼	퀘	퀴	킈
태	턔	테	톄	톼	퇘	퇴	퉈	퉤	튀	틔
패	퍠	페	폐	퐈	퐤	푀	풔	풰	퓌	픠
해	햬	헤	혜	화	홰	회	훠	훼	휘	희
깨	꺠	께	꼐	꽈	꽤	꾀	꿔	꿰	뀌	끠
때	땨	떼	뗴	똬	뙈	뙤	뚸	뛔	뛰	띄
빼	뺴	뻬	뼤	뽜	뽸	뾔	뿨	쀄	쀠	쁴
쌔	썌	쎄	쎼	쏴	쐐	쐬	쒀	쒜	쒸	씌
째	쨰	쩨	쪠	쫘	쫴	쬐	쭤	쮀	쮜	쯰

かな文字のハングル表記
（大韓民国方式）

【かな】	【ハングル】									
	＜語頭＞					＜語中＞				
あいうえお	아	이	우	에	오	아	이	우	에	오
かきくけこ	가	기	구	게	고	카	키	쿠	케	코
さしすせそ	사	시	스	세	소	사	시	스	세	소
たちつてと	다	지	쓰	데	도	타	치	쓰	테	토
なにぬねの	나	니	누	네	노	나	니	누	네	노
はひふへほ	하	히	후	헤	호	하	히	후	헤	호
まみむめも	마	미	무	메	모	마	미	무	메	모
や　ゆ　よ	야		유		요	야		유		요
らりるれろ	라	리	루	레	로	라	리	루	레	로
わ　　　を	와				오	와				오
がぎぐげご	가	기	구	게	고	가	기	구	게	고
ざじずぜぞ	자	지	즈	제	조	자	지	즈	제	조
だぢづでど	다	지	즈	데	도	다	지	즈	데	도
ばびぶべぼ	바	비	부	베	보	바	비	부	베	보
ぱぴぷぺぽ	파	피	푸	페	포	파	피	푸	페	포
きゃきゅきょ	갸		규		교	캬		큐		쿄
しゃしゅしょ	샤		슈		쇼	샤		슈		쇼
ちゃちゅちょ	자		주		조	차		추		초
にゃにゅにょ	냐		뉴		뇨	냐		뉴		뇨
ひゃひゅひょ	햐		휴		효	햐		휴		효
みゃみゅみょ	먀		뮤		묘	먀		뮤		묘
りゃりゅりょ	랴		류		료	랴		류		료
ぎゃぎゅぎょ	갸		규		교	갸		규		교
じゃじゅじょ	자		주		조	자		주		조
びゃびゅびょ	뱌		뷰		뵤	뱌		뷰		뵤
ぴゃぴゅぴょ	퍄		퓨		표	퍄		퓨		표

撥音の「ん」と促音の「っ」はそれぞれパッチムのㄴ、ㅅで表す。
長母音は表記しない。タ行、ザ行、ダ行に注意。

かな文字のハングル表記
（朝鮮民主主義人民共和国方式）

【かな】	【ハングル】			
	＜語頭＞		＜語中＞	
あ い う え お	아 이 우 에 오		아 이 우 에 오	
か き く け こ	가 기 구 게 고		까 끼 꾸 께 꼬	
さ し す せ そ	사 시 스 세 소		사 시 스 세 소	
た ち つ て と	다 지 쯔 데 도		따 찌 쯔 떼 또	
な に ぬ ね の	나 니 누 네 노		나 니 누 네 노	
は ひ ふ へ ほ	하 히 후 헤 호		하 히 후 헤 호	
ま み む め も	마 미 무 메 모		마 미 무 메 모	
や　　ゆ　　よ	야　　유　　요		야　　유　　요	
ら り る れ ろ	라 리 루 레 로		라 리 루 레 로	
わ　　　　　　を	와　　　　　　오		와　　　　　　오	
が ぎ ぐ げ ご	가 기 구 게 고		가 기 구 게 고	
ざ じ ず ぜ ぞ	자 지 즈 제 조		자 지 즈 제 조	
だ ぢ づ で ど	다 지 즈 데 도		다 지 즈 데 도	
ば び ぶ べ ぼ	바 비 부 베 보		바 비 부 베 보	
ぱ ぴ ぷ ぺ ぽ	빠 삐 뿌 뻬 뽀		빠 삐 뿌 뻬 뽀	
きゃ きゅ きょ	갸　　규　　교		꺄　　뀨　　꾜	
しゃ しゅ しょ	샤　　슈　　쇼		샤　　슈　　쇼	
ちゃ ちゅ ちょ	쟈　　쥬　　죠		쨔　　쮸　　쬬	
にゃ にゅ にょ	냐　　뉴　　뇨		냐　　뉴　　뇨	
ひゃ ひゅ ひょ	햐　　휴　　효		햐　　휴　　효	
みゃ みゅ みょ	먀　　뮤　　묘		먀　　뮤　　묘	
りゃ りゅ りょ	랴　　류　　료		랴　　류　　료	
ぎゃ ぎゅ ぎょ	갸　　규　　교		갸　　규　　교	
じゃ じゅ じょ	쟈　　쥬　　죠		쟈　　쥬　　죠	
びゃ びゅ びょ	뱌　　뷰　　뵤		뱌　　뷰　　뵤	
ぴゃ ぴゅ ぴょ	뺘　　쀼　　뾰		뺘　　쀼　　뾰	

撥音の「ん」は語末と母音の前では○パッチム、それ以外ではㄴパッチムで表す。
促音の「っ」は、か行の前ではㄱパッチム、それ以外ではㅅパッチムで表す。
長母音は表記しない。タ行、ザ行、ダ行に注意。

「ハングル」能力検定試験

資　料

2019年春季　第52回検定試験状況

●試験の配点と平均点・最高点

級	配点(100点満点中)			全国平均点			全国最高点		
	聞・書	筆記	合格点(以上)	聞・書	筆記	合計	聞・書	筆記	合計
1級	40	60	70	20	33	53	34	49	81
2級	40	60	70	26	35	62	40	58	97
準2級	40	60	70	27	37	64	40	58	98
3級	40	60	60	22	34	57	40	60	98
4級	40	60	60	29	43	73	40	60	100
5級	40	60	60	33	49	82	40	60	100

●出願者・受験者・合格者数など

	出願者数(人)	受験者数(人)	合格者数(人)	合格率	累計(1回〜52回)		
					出願者数	受験者数	合格者数
1級	87	83	10	12.0%	4,598	4,198	481
2級	361	309	109	35.3%	23,713	21,225	2,942
準2級	1,042	899	378	42.0%	56,954	51,436	16,508
3級	2,369	2,056	909	44.2%	104,966	93,571	49,179
4級	2,863	2,488	1,935	77.8%	124,161	110,348	80,215
5級	2,585	2,236	1,966	87.9%	111,501	99,286	79,770
合計	9,307	8,071	5,307	65.8%	426,836	380,936	229,181

※累計の各合計数には第18回〜第25回までの準1級出願者、受験者、合格者数が含まれます。

■年代別出願者数

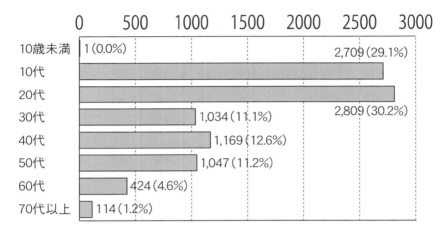

年代	出願者数
10歳未満	1 (0.0%)
10代	2,709 (29.1%)
20代	2,809 (30.2%)
30代	1,034 (11.1%)
40代	1,169 (12.6%)
50代	1,047 (11.2%)
60代	424 (4.6%)
70代以上	114 (1.2%)

■職業別出願者数

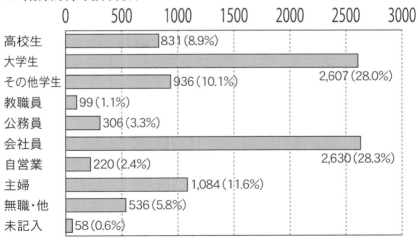

職業	出願者数
高校生	831 (8.9%)
大学生	2,607 (28.0%)
その他学生	936 (10.1%)
教職員	99 (1.1%)
公務員	306 (3.3%)
会社員	2,630 (28.3%)
自営業	220 (2.4%)
主婦	1,084 (11.6%)
無職・他	536 (5.8%)
未記入	58 (0.6%)

2019年秋季　第53回検定試験状況

●試験の配点と平均点・最高点

級	配点（100点満点中）			全国平均点			全国最高点		
	聞·書	筆記	合格点（以上）	聞·書	筆記	合計	聞·書	筆記	合計
1級	40	60	70	21	34	56	39	52	86
2級	40	60	70	26	33	60	40	55	93
準2級	40	60	70	25	38	63	40	60	100
3級	40	60	60	26	43	69	40	60	100
4級	40	60	60	28	42	70	40	60	100
5級	40	60	60	31	44	76	40	60	100

●出願者・受験者・合格者数など

	出願者数（人）	受験者数（人）	合格者数（人）	合格率	累計（1回〜53回）		
					出願者数	受験者数	合格者数
1級	91	84	15	17.8%	4,689	4,282	496
2級	396	331	91	27.4%	24,109	21,556	3,033
準2級	1,193	1,065	406	38.1%	58,147	52,501	16,914
3級	2,906	2,575	1,864	72.3%	107,872	96,146	51,043
4級	3,360	2,933	2,173	74.0%	127,521	113,281	82,388
5級	2,978	2,601	2,059	79.1%	114,479	101,887	81,829
合計	10,924	9,589	6,608	68.9%	437,760	390,525	235,789

※累計の各合計数には第18回〜第25回までの準1級出願者、受験者、合格者数が含まれます。

■年代別出願者数

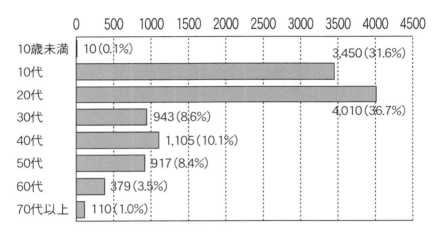

年代	出願者数
10歳未満	10(0.1%)
10代	3,450(31.6%)
20代	4,010(36.7%)
30代	943(8.6%)
40代	1,105(10.1%)
50代	917(8.4%)
60代	379(3.5%)
70代以上	110(1.0%)

■職業別出願者数

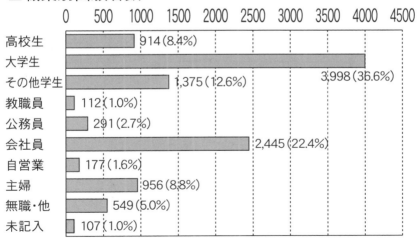

職業	出願者数
高校生	914(8.4%)
大学生	3,998(36.6%)
その他学生	1,375(12.6%)
教職員	112(1.0%)
公務員	291(2.7%)
会社員	2,445(22.4%)
自営業	177(1.6%)
主婦	956(8.8%)
無職・他	549(5.0%)
未記入	107(1.0%)

春季第52回・秋季第53回 試験会場一覧

都道府県コード順

〈東日本〉

受験地	第52回会場	第53回会場
札　幌	かでる２・７	北海商科大学
盛　岡	いわて県民情報交流センター「アイーナ」	いわて県民情報交流センター「アイーナ」
仙　台	ショーケー本館ビル	ショーケー本館ビル
秋　田	秋田県社会福祉会館	秋田県社会福祉会館
茨　城	筑波国際アカデミー	筑波国際アカデミー
宇都宮	国際ＴＢＣ高等専修学校	国際ＴＢＣ高等専修学校
群　馬		藤岡市総合学習センター
埼　玉	獨協大学	獨協大学
千　葉	千葉経済大学短期大学部	敬愛大学
東京Ａ	専修大学（神田キャンパス）	フォーラムエイト
東京Ｂ	東京学芸大学（小金井キャンパス）	武蔵野大学（武蔵野キャンパス）
神奈川	神奈川大学（横浜キャンパス）	神奈川大学（横浜キャンパス）
新　潟	新潟県立大学	新潟県立大学
富　山	富山県立伏木高等学校	富山県立伏木高等学校
石　川	金沢勤労者プラザ	金沢勤労者プラザ
長　野		長野朝鮮初中級学校
静　岡	静岡学園早慶セミナー	静岡県男女共同参画センターあざれあ
浜　松		浜松労政会館

春季第52回・秋季第53回 試験会場一覧

都道府県コード順

〈西日本〉

受験地	第52回会場	第53回会場
名古屋	IMYビル	IMYビル
四日市		四日市朝鮮初中級学校
京　都	京都女子大学	京都女子大学
大　阪	関西大学(千里山キャンパス)	関西大学(千里山キャンパス)
神　戸	神戸市外国語大学	神戸市外国語大学
鳥　取	鳥取市福祉文化会館	鳥取市福祉文化会館
岡　山		岡山朝鮮初中級学校
広　島	広島YMCA国際文化センター	広島YMCA国際文化センター
香　川	アイパル香川	アイパル香川
愛　媛	松山大学(樋又キャンパス)	松山大学(文京キャンパス)
福　岡	西南学院大学	西南学院大学
北九州	北九州市立八幡東生涯学習センター	北九州市立八幡東生涯学習センター
佐　賀	メートプラザ佐賀	佐賀県立佐賀商業高等学校
熊　本	くまもと県民交流館パレア	熊本市国際交流会館
大　分	立命館アジア太平洋大学	立命館アジア太平洋大学
鹿児島	鹿児島県青少年会館	鹿児島県文化センター宝山ホール
沖　縄	浦添市産業振興センター「結の街」	浦添市産業振興センター「結の街」

◆準会場での試験実施は、第52回31ヶ所、第53回37ヶ所となりました。
　皆様のご協力に感謝いたします。

1級2次試験会場一覧

都道府県コード順

※1級1次試験合格者対象

受験地	第52回会場	第53回会場
東　京	ハングル能力検定協会　事務所	ハングル能力検定協会　事務所
大　阪	新大阪丸ビル別館	新大阪丸ビル別館
福　岡		

●合格ラインと出題項目一覧について

◇合格ライン

	聞きとり		筆記		合格点
	配点	必須得点(以上)	配点	必須得点(以上)	100点満点中(以上)
5級	40		60		60
4級	40		60		60
3級	40	12	60	24	60
準2級	40	12	60	30	70
2級	40	16	60	30	70
	聞きとり・書きとり		筆記・記述式		
	配点	必須得点(以上)	配点	必須得点(以上)	
1級	40	16	60	30	70

◆解答は、5級から2級まではすべてマークシート方式です。
　1級は、マークシートと記述による解答方式です。

◆5、4級は合格点(60点)に達していても、聞きとり試験を受けていないと不合格になります。

◇出題項目一覧

	初　級		中　級		上　級	
	5　級	4　級	3　級	準2級	2　級	1　級
学習時間の目安	40時間	80	160	240~300	—	—
発音と文字					*	*
正書法						
語彙						
擬声擬態語			*	*		
接辞、依存名詞						
漢字						
文法項目と慣用表現						
連語						
四字熟語				*		
慣用句						
ことわざ						
縮約形など						
表現の意図						
テクストの理解と産出　内容理解						
接続表現	*	*				
指示詞	*	*				

※灰色部分が、各級の主な出題項目です。
　「*」の部分は、個別の単語として取り扱われる場合があることを意味します。

◎ 資格取得のチャンスは1年間に2回! ◎

「ハングル」検定

◆南北いずれの正書法(綴り)も認めています◆

◎春季　6月　第1日曜日　（1級は2次試験有り、東京・大阪にて実施）
◎秋季　11月　第2日曜日　（1級は2次試験有り、東京・大阪・福岡にて実施）
　※1級2次試験日は1次試験日から3週間後の実施となります。

● <u>試験会場</u>　協会ホームページからお申し込み可能です。コンビニ決済、クレジットカード決済のご利用が可能です。

札幌・盛岡・仙台・秋田・水戸・宇都宮・群馬・埼玉・千葉・東京A・東京B・神奈川
新潟・富山・石川・長野・静岡・浜松・名古屋・四日市・京都・大阪・神戸・鳥取
岡山・広島・香川・愛媛・福岡・北九州・佐賀・熊本・大分・鹿児島・沖縄

● <u>準会場</u>
◇学校、企業など、団体独自の施設内で試験を実施できます(延10名以上)。
◇高等学校以下(小、中学校も含む)の学校等で、準会場を開設する場合、「準会場学生割引受験料」を適用します(10名から適用・30%割引)。
　詳しくは「受験案内(願書付き)」、または協会ホームページをご覧ください。

● <u>願書入手</u>
◇願書は全国主要書店にて無料で入手できます。
◇協会ホームページからダウンロード可、又は「願書請求フォーム」からお申し込みください。

■ <u>受験資格</u>
国籍、年齢、学歴などの制限はありません。

■ <u>試験級</u>
1級・2級・準2級・3級・4級・5級(隣接級との併願可)

■ <u>検定料</u>
　1級　10,000円　　2級　　6,800円　　準2級　5,800円
　3級　 4,800円　　4級　　3,700円　　5級　　3,200円
◇検定料のグループ割引有(延10名以上で10%割引)

ご存じですか?

公式ホームページ及びハン検オンラインショップを
リニューアルしました!
公式SNSアカウントでもハン検情報や学習情報を配信中!

詳細はこちら　　│ ハングル検定 │　🔍 検索

「ハングル」検定公式テキスト
ペウギ 準2級/3級/4級/5級

ハン検公式テキスト。これで合格を
目指す！ 暗記用赤シート付。
準2級/2,700円（税別）※CD付き
3級/2,500円（税別）
5級、4級/各2,200円（税別）
※A5版、音声ペン対応

新装版　合格トウミ
初級編 / 中級編 / 上級編

レベル別に出題語彙、慣用句、慣用表現
等をまとめた受験者必携の一冊。
暗記用赤シート付。
初級編/1,600円（税別）
中級編、上級編/2,200円（税別）
※A5版、音声ペン対応

中級以上の方のためのリスニングBOOK
読む・書く「ハン検」

長文をたくさん読んで「読む力」を鍛える！
1,800円（税別）
※A5版、音声ペン対応
別売CD/1,500円（税別）

ハン検 過去問題集 （ＣＤ付）

年度別に試験問題を収録した過去問題集。
学習に役立つワンポイントアドバイス付！
１、２級/2,000円（税別）
準２、３級/1,800円（税別）
４、５級/1,600円（税別）

協会書籍対応　音声ペン

対応書籍にタッチするだけでネイティブの発音が聞ける。
合格トウミ、読む書く「ハン検」、ペウギ各級に対応。
7,819円（税込8,600円）

好評発売中！ **2019年版**
ハン検 過去問題集 （ＣＤ付）

◆2018年第50回、51回分の試験問題と正答を収録、学習に役立つワンポイント
　アドバイス付！

　１級、２級…………………………………………各2,000円（税別）
　準２級、３級………………………………………各1,800円（税別）
　４級、５級…………………………………………各1,600円（税別）

購入方法

①全国主要書店でお求めください。（すべての書店でお取り寄せできます）
②当協会へ在庫を確認し、下記いずれかの方法でお申し込みください。
【方法１：郵便振替】
振替用紙の通信欄に書籍名と冊数を記入し代金と送料をお支払いください。お
急ぎの方は振込受領書をコピーし、書籍名と冊数、送付先と氏名をメモ書きに
してFAXでお送りください。
　　　　　　　◆口座番号：00160－5－610883
　　　　　　　◆加入者名：ハングル能力検定協会
（送料1冊350円、2冊目から1冊増すごとに100円増、10冊以上は無料）
【方法２：代金引換え】
書籍代金（税込）以外に別途、送料と代引き手数料がかかります。詳しくは協会
へお問い合わせください。
③協会ホームページの「書籍販売」ページからインターネット注文ができます。
　（http://www.hangul.or.jp）

※音声ペンのみのご注文：送料500円/1本です。2本目以降は1本ごとに100円増となります。
　書籍と音声ペンを併せてご購入頂く場合：送料は書籍冊数×100円＋音声ペン送料500
　円です。ご不明点は協会までお電話ください。
※音声ペンは「ハン検オンラインショップ」からも注文ができます。

2020年版「ハングル」能力検定試験

ハン検 過去問題集〈準2級〉

2020年3月1日発行

編　　著　｜　特定非営利活動法人
　　　　　　　ハングル能力検定協会

発　　行　｜　特定非営利活動法人
　　　　　　　ハングル能力検定協会

　　　　　　　〒101-0051 東京都千代田区神田神保町2-22-5Ｆ
　　　　　　　TEL 03-5858-9101　　FAX 03-5858-9103
　　　　　　　http://www.hangul.or.jp

製　　作　｜　現代綜合出版印刷株式会社

　　　　　　　定価（本体1,800円＋税）
　　　　　　　HANGUL NOURYOKU KENTEIKYOUKAI
　　　　　　　ISBN 978-4-910225-00-5　C0087　¥1800E
　　　　　　　無断掲載、転載を禁じます。
　　　　　　　<落丁・乱丁本はおとりかえします>　　　Printed in Japan